D0636214

afgeschreven

Lindsey Leavitt

Prinses met vlinders

Vertaald door Hanneke van Soest

Van Holkema & Warendorf

Voor mam en pap

ISBN 978 90 475 1421 3
NUR 284

Uitgeverij Unieboek | Het Spectrum bv,
Postbus 97, 3990 DB Houten

Oorspronkelijke titel: *Princess for Hire. The Royal Treatment*
Oorspronkelijke uitgave:

Published by arrangement with Rights People, London

www.unieboekspectrum.nl

Tekst: Lindsey Leavitt
Vertaling: Hanneke van Soest
Omslagfoto's: Istockphoto
Omslagontwerp: Annabel Keyzer
Zetwerk binnenwerk: ZetSpiegel, Best

1

Hot cross buns! Hot cross buns!
One a penny, two a penny, hot cross buns!
'Hot Cross Buns' moet wel het onnozelste kinderliedje uit de geschiedenis van de muziek zijn. Je wilt een paar broodjes. Ze kosten een dubbeltje. Koop er alsjeblieft een paar en hou je mond, dan hoeven we die drie noten niet nog eens te spelen. Als ik nog meer van die simpele deuntjes moest oefenen, werd ik gek. Arme kleuters die dat soort liedjes dag in dag uit moesten aanhoren.
'Oké,' zei mijn beste vriendin, Kylee Malik. Ze probeerde bemoedigend te glimlachen, maar haar ogen deden niet mee. 'Ken je dat liedje nog dat Michael Jackson vroeger zong? "ABC"? Als je dat in gedachten meeneuriet, onthoud je makkelijker de melodie van "Hot Cross Buns".'
'Waarom zou ik een ander lied nodig hebben om dit liedje te kunnen onthouden?' Ik greep de hals van mijn huurviool vast. 'Ik ken de noten wel. Ik weet alleen niet hoe ik ze moet spelen.'
'Mag ik eerlijk tegen je zijn?' Ze zette mijn muziekstandaard opzij. Kylee mocht als assistent van de schoolbanddirigent gebruikmaken van het muzieklokaal, maar dat gold niet voor mij.
'Tuurlijk.'
'Ik zou er niet mee doorgaan, als ik jou was.' Ze keek me ge-

schrokken aan. 'Niet dat je geen talent hebt, hoor! Maar muziek is niet jouw ding. Misschien kunnen we beter gaan oefenen voor het schooltoneelstuk. Je hebt maandag toch auditie?'

'Ik weet nog niet of ik meedoe. Ik bedoel, het is wel Shakespeare voor de bovenbouw. Ik maak geen enkele kans.'

'Ik ben slecht in kansberekening, maar ik weet zeker dat je kans maakt. Dit is Sproutville, Idaho, geen toneelschool in New York. Ik denk dat er zo'n zeventig leerlingen auditie zullen doen. Hooguit. En de onderbouw doet ook mee, dus je maakt evenveel kans als de bovenbouwers.'

'Ik weet het niet, hoor.' De onderbouw mocht alleen auditie doen omdat de gemeente onze toneellessen had afgeschaft. Of beter gezegd, vond dat we moesten 'fuseren' met de bovenbouw. Maar de bovenbouwers mochten natuurlijk niet onderdoen voor tweedeklassers.

'Je bent echt goed, Desi. Dat meen ik.'

Ik frunnikte aan de zoom van mijn IK BEN EEN GEVOELIGE SNAAR-T-shirt en hoopte dat Kylee niet zou zien hoe erg ik wenste dat ze gelijk had. Ik wilde al actrice worden sinds ik op mijn negende mijn eerste Audrey Hepburn-film zag. Hoeveel avonden ik niet voor de spiegel in mijn slaapkamer scènes uit klassieke films heb nagespeeld! Zeker net zo vaak als dat ik het toneelstuk *Een midzomernachtsdroom* van Shakespeare heb doorgenomen, dat in de herfst zal worden opgevoerd. Maar acteren was op dit moment even niet zo belangrijk als leren vioolspelen. 'Vanavond oefen ik wel voor het toneelstuk. Nu wil ik Beethoven worden.'

'Eh... dát zal moeilijk worden als je voor de viool kiest. Misschien is dit gewoon je instrument niet. Wat dacht je van... de xylofoon?'

'Daar tingelt mijn zusje Gracie op. Die is twee. Ben ik echt zo slecht?'
Kylee fronste haar voorhoofd. 'Nou, nee... sléćht wil ik niet zeggen.'
'Kylee, je zou eerlijk tegen me zijn.'
'Oké. Het klonk alsof er een dozijn katten tuba speelde. In B-mineur.'
'B-mineur?'
Kylee sloeg haar hand voor haar mond, maar ik hoorde haar grinniken.
'Lach je me uit?' Ik richtte mijn strijkstok op haar. 'Mijn muzikale droom ligt aan diggelen en jij lacht me uit?'
'Je muzikale droom?' Kylee grinnikte weer. 'Je wilt pas sinds vorige maand viool leren spelen.'
'Misschien was het een geheime droom?'
'Als je het echt graag wilt, gaan we door. Maar zwaai niet zo met die strijkstok. Straks steek je jezelf nog een oog uit.'
'Oké. Mijn viooltje mag even uitrusten. Maar als ik het niet onder de knie krijg, is het jouw schuld, mevrouw de dirigent.'
Ik legde de viool terug in zijn kist, wat ik altijd het fijnste moment van de les vond. Die muzikale droom was inderdaad onzin. Maar ik wilde wel weer graag prinses worden, dus als ik mijn baantje bij Façade als stand-in wilde houden, moest ik nog veel oefenen.
Afgelopen zomer was een agent, genaamd Meredith Pouffinsky, mijn badkamer binnen komen zweven (en als ik zeg zweven, dan bedoel ik ook zweven, want ze reist per zeepbel), die me had verteld dat Façade mijn MP – magisch potentieel – had opgevangen toen ik een wens deed tegenover een of andere magische vis. En als je MP hebt, kun je je laten

veranderen in de dubbelganger van een prinses die aan vakantie toe is. Ik hoefde alleen maar een contract te tekenen en een oud Egyptisch poeder, Royal Rouge, op mijn gezicht te smeren en póéf, ik veranderde in een prinses!
Natuurlijk nam ik het baantje aan. Wie wil nu niet de hele wereld rondreizen, *royals* ontmoeten en er nog voor betaald krijgen ook? Maar ik merkte al snel dat prinsessen het liefst 'op vakantie gingen' als er problemen waren. Zo kon het gebeuren dat ik de ene keer stond te dansen op een stammenfeest in de Amazone en de andere keer een streng dieet moest volgen. Eén prinses wilde ik zelfs zo graag helpen dat ik voor haar een prins heb gekust die al bezet was. Dat kostte me bijna mijn baantje, maar gelukkig werd ik onverwacht bevorderd naar Niveau 2 door het Koninklijk Hof van Beroep (de hoge pieten bij Façade). Een groot voorrecht, maar ik moet wel bewijzen dat ik het heb verdiend.
Een paar dagen na mijn invalavonturen als prinses werd er thuis in Idaho een pakketje voor mij bezorgd. Tot mijn blijde verrassing bleek het mijn handcomputer met touchscreen, die ik als stand-in had gekregen en waarop ik alle informatie over royals kon opzoeken. Maar omdat ik was bevorderd naar Niveau 2, zat er een bericht bij waarin stond dat ik een Bijles Elite Stand-in Training moest volgen.
De Bijles Elite Stand-in Training (BEST... ze waren bij Façade dol op afkortingen) bleek een lijst met taken die ik onder de knie moest krijgen voordat ik stand-in mocht zijn voor een mij nog onbekende Niveau 2-prinses.

1. Begrip en beheersing van klassieke muziek. Het kunnen bespelen van instrumenten (blaas- en snaarinstrumenten) wordt ten zeerste aanbevolen

2. Achttiende- en negentiende-eeuwse Europese hofdansen
3. Geschiedenis van het Franse koningshuis, met name de periode van voor en na de Franse Revolutie
4. Achttiende-eeuwse architectuur en kunstgeschiedenis, met name de stijlperiode van de barok
5. Spreken in het openbaar en conversatievaardigheden

Vandaar dat ik de hele zomer kunstboeken had doorgekeken, *Twee Steden* van Dickens had gelezen, Kylee had gevraagd me viool te leren spelen, YouTube-filmpjes van dansende mensen in achttiende- en negentiende-eeuwse kostuums had bekeken en tegenover Gracies knuffels mijn favoriete filmscènes had nagespeeld (oké, aan het spreken in het openbaar moest ik nog werken). Inmiddels was het half september en moest ik over een paar weken alweer naar school. Kortom, ik had hard gewerkt aan mijn BEST-programma, maar had geen flauw idee of ik genóég had gedaan. Dat wist ik pas als Meredith me kwam ophalen in haar zeepbel. Het kon nu elk moment gebeuren dat ik moest terugkeren naar mijn droombaantje.

Ik sloot de vioolkist en keek het muzieklokaal rond. Mijn oog viel op een xylofoon. Was een xylofoon een klassiek instrument? Had Façade me nog niet teruggehaald omdat ik het BEST-onderdeel klassieke muziek nog niet voldoende beheerste?

'Kylee,' zei ik in een opwelling, 'zal ik dan toch die xylofoon eens proberen? Of een fluit! Een fluit is cool. Een fluit is toch een blaasinstrument, hè? En leer je me dan ook wat B-mineur, allegro, forte en al dat gedoe betekent?'

'Ik leer je fluitspelen als jij me vertelt waarom je ineens zo geïnteresseerd bent in al dat gedóé.' Kylee hield me streng een opgestoken vinger voor. 'En begin niet weer over die

geheime droom van je, want een paar weken terug wilde je niets liever dan oude films kijken. En nu moet je zo nodig debutante worden.'
Debutante. Jakkes. Hoewel... het klonk eigenlijk best prinsesachtig. Maar goed, het mag duidelijk zijn dat het me heel wat hoofdbrekens kostte om met mijn beste vriendin om te gaan zonder mijn grote geheim te verklappen. Niet dat ze het zou geloven, maar ik had een contract getekend met Façade waarin ik had beloofd nooit iets over de agency naar buiten te brengen.
'Oké. Ik zal je mijn diepste geheim onthullen.' Ik pakte een mallet en sloeg een xylofoontoets aan, in de hoop nonchalant over te komen. 'Maar jij moet mij eerst fluit leren spelen.'
'We hebben nog maar vijf minuten. Er komt zo een groep oefenen.'
'Vijf minuten. Deal. Trakteer ik je daarna op een *slushie*.'
Kylee haalde een schoolfluit uit de muziekkast en hield het mondstuk omhoog. 'Het moeilijkste is om de stand van je mond goed te krijgen. Tuit je lippen en doe alsof je in een kom hete soep blaast.'
Ik trok een blaas-in-soep-gezicht, wat niet makkelijk is met een beugel.
'Goed zo. Voordat ik de rest van de fluit eraan schroef, moet je eerst goed leren blazen.'
'Hard werken geblazen dus.'
'Haha. Hier. Nu in de soep blazen.'
Ik hield het instrument tegen mijn lippen en stelde me een lekkere vissoep voor. Maar toen ik blies, klonk het eerder alsof de fluit een windje liet.
Kylee kromp ineen. 'Oké... het is een begin.'

Ik blies weer, meer uit frustratie dan om muziek voort te brengen. Het windjesgeluid klonk alleen maar nog natter. Ik keek boos naar het mondstuk. Wat een belachelijk idee eigenlijk, om een instrument te willen leren bespelen. Hoe haalde ik het in mijn hoofd? Het kostte de meeste mensen járen om een muziekinstrument onder de knie te krijgen. En die tijd had ik niet. Maar wie weet zakte het vanzelf in mijn vingers als ik de hele dag naar Mozart zou luisteren. Via osmose dus. Trouwens, op de BEST-lijst stond bij klassieke muziek 'ten zeerste aanbevolen', en niet 'absoluut noodzakelijk'. Bovendien was ik op Niveau I al eens stand-in geweest voor een muzikale prinses en dat was prima gegaan. Het instrument had het niet overleefd, maar je kon niet alles hebben.
Kylee had gelijk. Musiceren lag me niet. Ik zou vanavond iets nieuws moeten bedenken. Tijd voor een slushie.
Ik schroefde de andere fluitonderdelen aan elkaar en blies stevig op het mondstuk 'Oké, genoeg. Wacht, ik weet iets beters!' Ik deed alsof ik kon fluitspelen en liet mijn pink heen en weer gaan op het laatste gaatje. 'Zie je wel, ik ben een natuurtalent. De Rattenvanger van Hamelen is er niets bij!'
Kylee drukte haar handen tegen haar oren toen ik een deuntje begon. Ik kreeg de smaak te pakken en maakte al fluitend een dansje. In vergelijking met de fluit had de viool hemels geklonken. Ik hoorde nauwelijks dat er iemand spottend floot. Floot? Ik keek naar Kylee, die met afgrijzen naar de deur staarde.
In de deuropening stond mijn vroegere beste vriendin, Celeste Juniper, en achter haar zo'n twintig andere leerlingen. Grote, volwassen leerlingen. Leerlingen uit de bovenbouw.

Celestes ogen schitterden triomfantelijk. 'Sorry dat we je moeten storen in je... eh, solo. Ga je soms auditie doen voor *Cats*? Perfect, zoals je dat kattengejank nadeed.'
'Dit lokaal is besproken voor de vergadering van onze toneelclub,' zei een kleine jongen in een vest terwijl hij stoelen begon te verplaatsen. 'Ik hoop dat het uitkomt.'
De fluit stak nog in de lucht, als een antenne die mijn afgang wereldkundig maakte. Ik gaf mijn elleboog opdracht te zakken, maar mijn elleboog luisterde niet. De andere leerlingen kwamen het lokaal binnen en schoven de stoelen in een kring om me heen.
Uiteindelijk greep Kylee me bij de arm en trok me naar een hoek van het lokaal. 'Tuurlijk, wij zijn toch klaar. We oefenden alleen nog even een komische scène voor Desi's auditie van aanstaande maandag.'
Tot mijn opluchting negeerden de andere clubleden ons en begonnen aan hun stemoefeningen. Helaas vond Celeste een warming-up niet nodig. 'Wat oefen je voor maandag?' vroeg ze. 'En voor hoeveel stukken wil je auditie doen?'
'Vier,' antwoordde ik zacht.
'En aan hoeveel toneelstukken heb je ooit meegedaan?' vroeg Celeste.
'Nul,' zei ik, nog zachter. Ik schraapte mijn keel. Ik zou me niet opnieuw onzichtbaar laten maken door Celeste. Ze deed nu al twee jaar vervelend tegen me omdat mijn vader, die officier van justitie is, haar vader terecht naar de gevangenis heeft gestuurd. TWEE JAAR GELEDEN. 'Nul dus, maar vanaf nu komt daar verandering in.'
'Ja. Vijfmaal is scheepsrecht,' zei Kylee. De schat.
De oude Desi zou ter plekke zijn opgelost in het niets. Maar de oude Desi was afgelopen zomer ter ziele gegaan, dus ik

kon nu zijn wie ik altijd had willen zijn. Ik had mezelf toch al voor schut gezet met mijn fluitconcert. Erger dan dit kon een auditie niet worden. 'Ik doe inderdaad auditie. Ik zie je daar. Succes.'
'Iemand succes wensen voor een voorstelling brengt ongeluk.'
'Dat weet ik. Daarom zei ik het ook.' Ik pakte Kylee bij de hand om theatraal de aftocht te kunnen blazen, maar ze stond als aan de grond genageld.
Celeste grijnsde en liep terug naar de warming-upkring.
'Het was de bedoeling dat we het pand waardig zouden verlaten,' zei ik.
'Kijk daar,' fluisterde Kylee in mijn oor. 'Reed Pearson.'
Kylees nieuwe liefde stond midden in de kring zijn tekst te oefenen met zijn tegenspeler. Zijn stem, of misschien was het zijn Nieuw-Zeelandse accent, kwam duidelijk boven de stemmen van de anderen uit. Toen hij ons in de gaten kreeg, wenkte hij ons.
'Ik kijk wel uit,' zei Kylee. 'Ik heb nog niet geoefend.'
'Wat niet?'
'Wat ik tegen hem moet zeggen.' Ze wierp een wanhopige blik op de deur. 'Ik bedoel, hij is ook zo leuk. En veel ouder dan wij...'
'Maar één jaar...'
'Ik ben weg. Bel me vanavond.' Haar nagels drongen in mijn huid. 'En ik wil detáíls, denk erom.'
Reed doorkruiste het lokaal terwijl Kylee maakte dat ze wegkwam. 'Is ze voor mij op de vlucht geslagen?' vroeg hij.
'Nee. Nou ja, eigenlijk wel dus. Ze is allergisch voor toneelclubs, met name voor de Thespians.'
Hij lachte. 'We zijn niet besmettelijk.'

Ik wilde een grap maken over Thespianitis, maar ik voelde me schuldig dat ík met Reed stond te lachen in plaats van Kylee. En dus hield ik mijn mond. Toen de stilte oorverdovend werd, schraapte Reed zijn keel. 'Ik ben Reed. We hebben elkaar voor de zomervakantie ontmoet toen...'
'...je mijn leven redde op het moment dat ik bijna was verdronken in die waterbak.' Onze monden hadden elkaar destijds geraakt en dat was de reden dat ik nu zo moeilijk uit mijn woorden kwam. 'Dat weet ik nog wel.' Opnieuw een eindeloze stilte, totdat ik vervolgde: 'Repeteer je hier vandaag voor het schooltoneelstuk?'
'Nee, ik kwam speciaal voor jouw fluitconcert.'
Ik voelde mijn wangen warm worden. 'O... dat. Mijn geïmproviseerde dansje.'
'Ik vond het erg origineel.'
'Dank je.'
'Dus jij doet maandag ook auditie?'
'Eh... ik denk het wel.'
'Leuk.'
Reed werd geroepen door een vriend. Ik wilde nog iets zeggen over Kylee, maar hij had zich al bijna omgedraaid. Toen stak hij zijn elleboog in de lucht en liet hij zijn vingers over een denkbeeldig instrument glijden. 'Dag, fluitmeisje.'
Ik vluchtte de gang op en keek om me heen of ik Meredith ergens zag, voor het geval ik door een bizar wonder vanwege mijn viool- en/of fluitspel was geslaagd voor mijn BEST-test. Mijn moed over mijn stoere gedrag tegenover Celeste zakte al in mijn schoenen en nu ik had gezegd dat ik auditie zou doen, wilde ik zo snel mogelijk weg uit Sproutville.
Het liefst met een supersnelle, magische zeepbel.

2

‘Hoeveel smaken ijs wil je in hemelsnaam hebben?’ vroeg mijn moeder toen ik de ene na de andere doos met ijs in onze winkelwagen legde. Omdat ik chagrijnig uit school was gekomen, had ze Gracie gelijk aan mijn vader toevertrouwd en was ze met mij naar de supermarkt gereden voor ‘troosteten’. Kennelijk had ze onderschat hoe gestrest ik was.

‘Er staat een extra vrieskist in de garage.’ Roomijs met koek, pistache-ijs... Wat is karamelexplosie? Maakt niet uit. Hup, in de winkelwagen.

‘Ja, met onze voedselvoorraad. Voor noodgevallen.’

‘Dit is een noodgeval.’

‘Heeft je vader weer gemopperd over je werkhouding?’

‘Nee, sinds hij weet hoeveel ik verdien met mijn T-shirtwebsite, houdt hij zijn mond.’ Ik deed alsof ik de ingrediënten op de doos met chocoladefudge-ijs las, zodat mijn moeder mijn gezicht niet kon zien. Of beter gezegd, de leugen op mijn gezicht. Ik had maar vijf T-shirts verkocht. Maar omdat ik een smoes nodig had om mijn baantje bij dierenwinkel De Dierenvriend te kunnen opzeggen, had ik mijn vader een deel van het geld dat ik als stand-in bij Façade had verdiend laten zien om hem ervan te overtuigen dat ik nog altijd aan het sparen was voor de universiteit. (Klopt, hij slaat daarin door. Het duurt nog eeuwen voordat ik ga studeren.) Niet dat ik een hekel had aan De Dierenvriend, maar ik moest me concentreren op mijn BEST-programma. Bovendien begon school alweer bijna en omdat ik misschien zou meedoen aan het toneelstuk... Oké, ik had wél een hekel aan dat baantje. Mijn schoenen roken nog steeds naar kattenbraaksel.

'Wat is er dan?' Mijn moeder ging voor me staan zodat ik niet nog meer ijs kon inladen. 'Wil je erover praten?'

'Ach, het stelt eigenlijk niks voor,' zei ik schouderophalend. 'Ik heb mezelf voor de helft van de eindexamenleerlingen voor gek gezet. Meer niet. O ja, en je beste vriendin Celeste deed zoals gewoonlijk weer superaardig tegen me. Maar niet heus.'

'Deed jij dan wel aardig tegen haar? Jij kunt nogal cynisch uit de hoek komen en dan reageert zij natuurlijk een beetje defensief...'

'Mam, zij begint.'

Ik wachtte totdat mijn moeder me een aai over mijn bol zou geven en zou zeggen: *Natuurlijk. Dat valse kreng. Ze liegt, net als die criminele vader van haar. Maar jij bent mijn oogappel, Desi, dus neem maar zo veel ijs als je wilt!* Maar dat zei ze niet, omdat mijn moeder iemand is van 'elk verhaal heeft twee kanten'. Allemaal leuk en aardig in een Disney-film, maar niet als je behoefte hebt aan een luisterend oor.

'Desi...'

'Nou ja,' zei ik. 'Wat kan mij het ook schelen.'

'Toevallig wilde ik het toch met je over Celeste hebben.' Toen kreeg ik alsnog een aai over mijn bol van mijn moeder, maar haar hand voelde zwaar op mijn hoofd. 'Vind je het echt niet erg dat ik haar klaarstoom voor Miss Idaho Tiener?'

Of ik het niet erg vond dat míjn moeder Celeste in míjn huis twee maanden lang klaarstoomde voor een missverkiezing terwijl ze míjn vanillewafels opat? Tuurlijk niet, waarom zou ik? De missverkiezing was in oktober, dus de limiet was bijna bereikt. Afgelopen dinsdag had ik ze gierend boven een kom cakebeslag aangetroffen toen ik uit school kwam.
'Wat? O, dat? Natuurlijk niet. Ik bedoel, je weet toch dat ik missverkiezingen...'
'Koehandel vind. Ja. Daarom heb ik je ook niet gevraagd of je wilde meedoen. Of had ik dat wel moeten doen?'
'Nee, natuurlijk niet. Ik heb het veel te druk. Een missverkiezing zou...' Ik probeerde mijn lachen in te houden omdat ik wist dat mijn moeder het serieus meende. Ik meedoen aan een míssverkiezing? Vaseline op mijn tanden smeren en in een badpak aan de wereldvrede werken? 'Dat is niets voor mij. Ik vind het prima dat je als coach werkt, want je bent een persoonlijkheid en hebt verstand van mode.'
'Maar...'
'Maar met Celeste heb ik niets.' Ik duwde de winkelwagen naar de kassa. 'Ik kan er niks aan doen. Ik haat haar niet of zo, maar ik heb er soms moeite mee dat jullie er zo'n feestje van maken.'
'Een feestje van maken?'
'Make-overs. Winkelen op zoek naar een jurk. Zangles geven aan Celeste.'
'Maar je zei net dat je niet van missverkiezingen houdt.'
'Dat is ook zo! Maar wel van jou.' Ik legde het ijs op de kassaband. 'Maar waar hebben we het over? Ik vind het prima zo. En Celeste doet maar. Ik ben gewoon zenuwachtig voor het

schooltoneelstuk. Ik moet snel naar huis om mijn tekst te leren.'
'Sorry.' Mijn moeder legde haar hand even op mijn arm. 'Zal ik je straks helpen met repeteren?'
'Meen je dat? Het is Shakespeare, hoor. Dus behoorlijk saai en...'
'Ik hou van Shakespeare en ik hou van jou.' Ze kuste me op mijn voorhoofd. Ongelogen waar. In het openbaar. 'Dan maken wij er gezellig ons eigen feestje van. Koop maar een paar leuke tijdschriften voor bij het ijs. Dan lak ik vanavond je nagels. Ik zou ook je haar kunnen verven... Wat dacht je van *highlights*? Dat zou die goudgele ondertonen in je bruine haar heel mooi oplichten.'
'Laten we maar eens beginnen met die tijdschriften en het ijs,' zei ik. 'Dat roomijs met koek is wel helemaal voor mij alleen...' Mijn oog viel op het tijdschriftenrek naast de kassa. Of beter gezegd, op een van de tijdschriften. Op de glanzende cover stond... stond... hij.
Prins Karl van Fenmar.
Lachend met Elsa.
'O mijn god.' Ik griste het tijdschrift uit het rek en bladerde zo gretig door naar het artikel dat de bladzijden bijna scheurden. De foto stond op pagina 39, naast een interview met beroemdheid Floressa Chase.
Karl leunde aandoenlijk stijfjes tegen een bruin gespikkeld paard terwijl Elsa met haar armen over elkaar met haar teen in het natte gras wroette. De lucht was grijs, de kleuren mat, maar Karl en Elsa glimlachten naar elkaar alsof ze in de zevende hemel waren. Verder stond er niemand op de foto, dus waarschijnlijk hadden ze zich afgezonderd en waren ze betrapt door een paparazzo.

'Lieverd, je kijkt alsof... alsof je zelf op die foto staat.'
Ze lachten. Samen. Ze waren gespot op een 'polowedstrijd, lachend als oude vrienden'.
Ik las de begeleidende tekst.

Is er afgelopen zomer in Metzahg een vonk overgesprongen tussen de goede vrienden prins Karl en prinses Elsa? Prinses Elsa was niet bereikbaar voor commentaar, maar prins Karls woordvoerder bevestigde dat de prins, ondanks zijn vriendschap met Elsa, nog altijd gelukkig is met zijn vriendin, gravin Olivia. Vorige week woonden Karl en Olivia nog de doop van kroonprins Jasper bij en het stel wekt nog altijd veel belangstelling in koninklijke kringen.
Wat Elsa's relatie met de prins ook mag zijn, het ziet ernaar uit dat haar als excentriek bekendstaande grootmoeder, prinses Helga van het voormalige koninklijke huis van Holdenzastein, haar mening over Elsa's rol binnen de koninklijke gemeenschap heeft herzien. Voor de herfst heeft prinses Elsa enkele exclusieve koninklijke evenementen op haar agenda staan, welke spoedig bekend zullen worden gemaakt.

Ik wist dat er een kern van waarheid stak in het gerucht over Elsa en Karl omdat ik erbij was, in Metzahg, als Elsa's stand-in. Nadat ik in Elsa's dagboek had gelezen dat ze stapelverliefd op Karl was, heb ik hem gekust en is het iets tussen hen geworden. De kus had me bijna mijn baantje gekost, maar toen ik het artikel las, wist ik dat mijn intuïtie juist was geweest: ze vonden elkaar leuk. Maar ik had een geheim. Het leek misschien een goede daad van me dat ik hen bij elkaar had gebracht, maar diep in mijn hart vroeg ik me af... hoopte ik misschien zelfs... dat Karls gevoelens sterker waren geworden toen hij samen met mij was. Dat hij

mij ook leuk vond, hoewel hij natuurlijk niets van mijn bestaan af wist.
Mijn hoofd deed pijn, om nog maar te zwijgen van mijn hart. Ik gaf het tijdschrift aan de caissière. Mijn moeder pakte een ander exemplaar uit het rek en bladerde het door.
'Dat is toch die prins met wie je kamer vol hangt, of niet? Zijn broer is veel leuker. En wie is dat meisje?'
'Prinses Elsa van het huis van Holdenzastein,' zei ik automatisch.
'Zo. Je bent wel... op de hoogte.'
'Dat staat in het artikel. En die Karl is wél leuk, alleen zou je dat op het eerste gezicht niet zeggen.'
Ze sloeg de bladzijde om. 'Ach, misschien heeft hij een aardig karakter. Hij lijkt me ook wel wat aan de kleine kant met–'
'Hij is één meter zeventig, hoor! Dat is gemiddeld,' zei ik luid; ik schreeuwde bijna. Ik trok het tijdschrift uit haar handen.
'Oké, oké.' Mijn moeder hief haar handen. 'Ik wist niet dat je zo'n fanatieke fan was.'
Terwijl ze het ijs en het tijdschrift betaalde, keek ik nog snel even naar de foto van Karl. 'Ik ben niet fanatiek. Ik koop alleen maar een tijdschrift.'
'Als jij het zegt.'
'Ik wil nu graag naar huis. Als ik niet snel mijn tekst ga oefenen, mag ik blij zijn als ik de rol van Boom 1 krijg.'

3

Omdat ik de hoop had opgegeven nog deze eeuw een instrument te kunnen bespelen, stapte ik over op plan B en luisterde ik de rest van het weekend naar klassieke muziek. Ondertussen surfte ik op mijn handcomputer naar meer informatie over Karl en Elsa, maar het enige wat ik over Elsa vond, waren de berichten die ik afgelopen juni zelf had gepost in de chatroom, waar stand-in roddels over royals verspreiden die vaak zelfs niet in de roddelbladen staan. Wat ik over Karl vond, kwam overeen met wat in de bladen stond: over zijn relatie met gravin Olivia, zijn werk voor de stichting AFRIKA HEEFT HONGER, en de schandalen over zijn knappe, maar verwaande oudere broer, Barrett. Maar dat wist ik allemaal al. De vraag die door mijn hoofd bleef spoken, was: *Hebben Karl en Elsa iets met elkaar?* En de vraag die daarmee samenhing: *En zo ja, had dat iets met mij te maken?*
Het koninklijke drama leidde me af van de stress voor de auditie. Nee, nou lieg ik. Ik was de stress voorbíj. Als prinses had ik zo veel 'acteerervaring' opgedaan dat ik stiekem hoopte dat ik een rol zou krijgen. Geen grote rol, maar wel één met aardig wat tekst. Als ik niet voor Façade zou werken, had ik nooit durven hopen dat mijn droom om actrice te worden zou uitkomen. De vorige keren dat ik auditie had

gedaan, had het er meer op geleken dat ik wilde bewijzen dat ik er níét geschikt voor was.
Nu wist ik dat alles mogelijk was. Mogelijk, maar geen uitgemaakte zaak.
Toen ik Kylee na school bij mijn kluisje trof, wilde ik haar vertellen hoe zenuwachtig ik was voor de auditie, maar telkens wanneer ik mijn mond opendeed, kwam er alleen maar een soort gegorgel uit.
'Ben je er klaar voor?' vroeg ze.
'Ja,' gorgelde ik.
'Hier, neem een slokje van mijn water. En probeer niet zo raar te kreunen voordat je iets zegt.'
Ik nam een flinke slok uit haar flesje en schraapte mijn keel.
'Ik gorgel.'
'Ja, heel vies.'
'Ik ben gek dat ik dit doe.' Ik dronk nog wat water. 'Ik val straks flauw op het podium.'
'Misschien levert dat je juist een rol op. Dan doe je maar net of je in slaap valt. Dat past perfect in *Een midzomernachtsdroom*.' Kylee duwde me de deur door en samen liepen we over het plein dat de onderbouw van de bovenbouw scheidt.
'Je hebt het toch al vaker gedaan.'
'Ik heb wel eerder auditie gedaan, maar nog nooit een rol gekregen. En dat was ook geen Shakespeare.'
Oké, wat ik nu ga zeggen klinkt misschien heel dom en oppervlakkig, maar ik moet eerlijk bekennen dat ik niks met Shakespeare heb. Het zijn natuurlijk geweldige verhalen, maar waarom moet dat in dat oude Engels? Iedereen doet alsof hij het begrijpt, maar daar geloof ik niets van. Ik kan me niet voorstellen dat ik de enige ben. Maar als je dat hardop zegt, zeg je in feite dat je de nieuwe kleren van de keizer

niet ziet. Hou je van Shakespeare, dan ben je cool en maak je een literaire, artistieke indruk, twee eigenschappen die het goed doen in de wereld van de podiumkunsten. Net als gekke hoeden. Alle theaterleerlingen lopen ermee. Ik had er geen meegenomen, maar droeg wel een T-shirt met de opdruk SHAKESPEARE IS COOL ENDE VET. Als ik daar geen bonuspunten voor kreeg...
'Shakespeare is gewoon Engels met hier en daar een *thee* en een *thou* ertussen geplakt.'
'En *aye* en *ere* niet te vergeten. Het lijkt wel of ze vroeger onder het praten steeds in slaap vielen.' Toen we de hoek om kwamen, bleef ik staan. Sproutville High – een roodstenen gebouw uit 1930, bedekt met klimop, waar destijds voor het gemak een krankzinnigengesticht aan was gebouwd – doemde voor ons op. 'Ik kan het niet. Kom, we gaan naar huis.'
'Echt niet. Je gaat auditie doen.' Kylee trok me mee. 'Laat me je monoloog horen.'
'Ik heb niets hoeven voorbereiden. We horen van de regisseur wat we moeten voordragen.'
'Zeg dan maar gewoon iets.'
Ik citeerde een van mijn favoriete regels uit het tweede bedrijf.
'Zie je nou wel?' zei Kylee stralend. 'Ik voel dat je dit keer een rol krijgt. De woorden krijgen betekenis als jij ze uitspreekt.'
'Ja ja. Shakespeare draait zich om in zijn graf.'
'Wie heeft die uitdrukking eigenlijk bedacht? Waarom mag je je niet omdraaien in je graf? Of ben je dan een zombie of zo? Het zou leuk zijn als Shakespeare door jouw spel uit zijn graf herrijst. Dan komt hij als een zombie het podium op

gewankeld en zegt zoiets als: "Jambische trimeter... lelijk. Hersenen... lekker."'
Ik haalde mijn neus op. 'Je kijkt te veel van die afgrijselijke horrorfilms.'
'Beter dan die oude Audrey Huppeldepup-films van jou.'
'Huppeldepup? Húppeldepup? Audrey Hepburn is de beste actrice die ooit op deze planeet heeft rondgelopen. Of op welke planeet dan ook. Jeetje, als ik nu in mijn graf lag, draaide ík me om.'
'Dat kan niet als je nog ademt. Dan ben je levend begraven en dat is alleen maar zie...'
'Dan draaide ik me om!' riep ik.
Kylee grinnikte.
Ik weet niet meer precies wanneer, maar ergens tussen juni en nu hebben Kylee en ik de fase bereikt dat je dingen van elkaar weet die niemand anders weet. En dat je die dan nog accepteert ook.
Kylee is bijvoorbeeld cultureel zeer onderlegd. Als ze MP zou hebben, zou ze Niveau 1 waarschijnlijk meteen kunnen overslaan en op Niveau 2 mogen beginnen. Een jaar geleden is ze met haar gestudeerde ouders vanuit Seattle naar Sproutville verhuisd. Ze heeft te gekke ouders die uit India komen. Mijn vader komt uit Idaho Falls. Als er een wedstrijd voor coole ouders zou zijn, zouden haar ouders een reusachtige beker winnen en die van mij een rozet, als troostprijs. De Maliks gaan met hun dochter naar exposities, concerten en poëzieavonden. Maar die kleine, slimme Kylee houdt tegelijk ook van bloederige horrorfilms en videospelletjes. Geweldig toch? Dat vind ik zo leuk aan haar.
We liepen om het gebouw heen en bleven bij de ingang van het theater staan. Kylee gaf me een kneepje in mijn hand.

‘Ik ga nog even snel naar het muzieklokaal. Kijken of alles klaarstaat voor mijn Workshop Blaasinstrumenten die ik volgende week geef.’
‘Uh-huh.’
‘Ik ben op tijd terug voor je auditie.’
‘O.’
Kylee liet mijn hand los. Ik draaide me om en staarde naar de deur.
‘Desi!’ zei ze. ‘Ga naar binnen!’
Toen ik de hal in liep, sloeg de koude lucht van de airconditioning me in het gezicht. Ik sloeg mijn armen over elkaar, maar ondanks de kilte voelde ik mijn oksels vochtig worden. Maar het zweet brak me pas echt uit toen ik het bordje met AUDITIES SHAKESPEARE op de deur zag. God, had de onderbouw nog maar apart dramales. Alsof Shakespeare nog niet moeilijk genoeg was, moest ik ook nog auditie doen met leerlingen die oud genoeg waren om rijles te nemen.
Die oud genoeg waren om te stemmen.
En een Shakespeare-baard konden laten staan.
Enkele ijskoude seconden later zag ik Reed naast de prijzenkast over een tafel gebogen zitten terwijl hij met een pen meetikte op de maat van de muziek op zijn koptelefoon. Zijn zwarte haar, dat mooi afstak tegen zijn zongebruinde huid, viel voor zijn ogen. Ik haalde een pen uit mijn rugzak en tekende het auditieformulier dat voor hem lag. Als Kylee de glimlach had gezien die hij me toewierp, was ze ter plekke gesmolten en in een plasje moleculen veranderd. Uiteraard was ik er immuun voor. Mooie jongen in Idaho haalde het niet bij lieve, aardige, prins in Europa.
‘Leuk dat je bent gekomen,’ zei Reed. Sorry, mooie jongen in Idaho met je leuke accent. ‘Waar is je fluit?’

'Eh, ik ga proberen een rol te krijgen. Niet de dirigent de stuipen op het lijf te jagen.'
'Dan zou ik maar geen "eh" zeggen. Daar heeft mevrouw Olman een hekel aan.'
'Eh, dank je. Ik bedoel, oeps. Ik heb het nou al verpest.' Ik las het auditieformulier door. Inleiding, gebruik van het podium, monoloog. Vijf minuten tekst, meer niet. Enkele van mijn stand-inklussen hadden dágen geduurd. Die vijf minuten kreeg ik wel vol.
Toen ik opkeek, zag ik dat Reed nog steeds naar me keek. Ik zocht snel naar woorden. 'Waarom zit je achter de tafel met auditieformulieren?'
'Omdat ik nog maar net in de derde zit.'
'Dan stellen tweedeklassers zeker helemaal niets voor.'
Hij lachte. 'Het lijkt me beter als ik daar geen antwoord op geef. Maar ik kan wel zeggen dat sommige bovenbouwers niet blij zijn dat de jonkies het toneelstuk hebben gekaapt.'
'Gekaapt? Alsof wij daar zelf voor hebben gekozen. En dan zijn jullie ook nog in het voordeel.'
'Dat is waar. Er zijn maar een paar eerste- en tweedeklassers komen opdagen. De meesten zullen wel geschrokken zijn van al dat moeilijke Shakespeare-gedoe. De kans dat jullie doorgaan is inderdaad erg klein. Wat zeg ik, zo goed als nul.'
Ik schoof met mijn linkervoet over de tegelvloer. 'Bedankt voor je vertrouwen.'
'O, ik bedoelde niet...' Reed sloot zijn ogen. 'Sorry. Soms zeg ik iets zonder erbij na te denken. Ook al is het waar.'
'Je bedoelt dat ik het niet eens hoef te proberen?'
'Nee. Ik bedoel alleen dat je kans statístisch gezien kleiner is. Maar als je goed kunt acteren, maakt dat niet uit. En je

maakt geen zenuwachtige indruk.' Reed keek me indringend aan. 'Of wel?'
Ik kon geen oogcontact maken als hij me op die manier aankeek; het leek wel of hij me wilde hypnotiseren. Geen wonder dat Kylee naar het muzieklokaal was gevlucht.
'Zenuwachtig? Ik?' Een goede actrice zou zich meteen zelfverzekerd kunnen voordoen. Maar ik had het te druk met het lezen van de namen op de auditielijst. Met elke naam werd de kans dat ík een rol zou krijgen kleiner. Meer dan vijftig leerlingen deden auditie voor een toneelstuk waarvoor slechts een kleine twintig rollen te vergeven waren. 'Nee, ik ben niet zenuwachtig. Ik ben... ik ben doodsbang.' Ik liet mijn schouders hangen. 'Ik moet steeds tegen mezelf zeggen dat ik niet moet vergeten te ademen.'
'Hé, maak je niet druk.' Zijn gezicht kreeg een zachte uitdrukking. 'Iedereen is zenuwachtig. De een kan het alleen beter verbergen dan de ander.'
'Zoals jij?'
'Ja. Ik heb net al een keer overgegeven.'
'Echt niet.'
'Jawel hoor. Maar ik heb daarna meteen mijn tanden gepoetst, dus ik ben weer pepermuntfris.' Reed wierp een blik op de klok en stond op. 'De inschrijftermijn is gesloten. Als je wilt, ga ik met je mee. Een auditiemaatje is nooit weg.'
Maatje. O nee. Kylee. Dit was al het tweede gesprek dat ik met Reed voerde en ik had Kylee nog altijd niet genoemd.
'Ja! Mijn vriendin Kylee komt zo. Ze speelt klarinet. En nog zo veel andere instrumenten. Ze is heel leuk en grappig.'
Reed krabde zich achter zijn oren. 'Sorry, dus je hebt al een auditiemaatje? Ik wil geen spelbreker zijn, hoor.'

'Nee, ik bedoel, hou maar twee stoelen vrij. Eén voor mij en één voor Kylee. Dan kijk ik dit formulier nog even door.'
'Cool.' Reed leunde tegen de deur en duwde hem open met zijn schouder. 'O ja, zorg ervoor dat je je naam goed zegt als je het podium op komt. Volgens mevrouw Olman kun je beter meteen stoppen als je dat niet kunt.'
'Bedankt. Nu word ik nog zenuwachtiger.'
'Geen dank.'
De deur sloeg dicht; het geluid echode door de hal. 'Doodsbang' was zwak uitgedrukt. Ik had het gevoel dat mijn hart elk moment uit mijn borst kon springen en Shakespeare kon gaan citeren. Ik las het auditieformulier nog vijf keer door, zei twintig keer mijn naam hardop en glipte toen het theater in.
Het duurde even voordat mijn ogen aan het licht gewend waren en ik Reed rechts van me in de hoek zag zitten.
'Heb ik iets gemist?' vroeg ik.
'Ze zijn al begonnen,' fluisterde Reed. 'Ze doet het in alfabetische volgorde. Wat is je achternaam?'
'Desi Bascomb?' galmde de stem van mevrouw Olman door de zaal.
'Eh, hier?' Ik zwaaide.
'Ja, maar we willen je dáár.' Ze wees op het podium.
Nu had ik in elk geval iets meer tijd om rustig te worden. Ik liep over het gangpad naar het podium. Vanuit mijn ooghoek zag ik Celeste op de tweede rij zitten, naast mijn vorige *crush*, Hayden. Hayden keek me uitdrukkingsloos aan, wat ik maar niet persoonlijk opvatte, want ik begon in te zien dat uitdrukkingsloos kijken zijn specialiteit was.
Celeste had Hayden ongetwijfeld aan zijn hoofd gezeurd dat hij naar haar auditie moest komen kijken. Als er één

tweedeklasser was die kans op een rol had, was zij het. Tot nu toe had ze in alle school- en dorpsstukken gespeeld. Maar ik was vastbesloten me niet door haar uit het veld te laten slaan. Vijf minuten goed acteren. Dit was mijn kans.
Ik ontweek haar blik en concentreerde me op het trapje zodat ik niet zou struikelen. Eenmaal op het podium tuurde ik een ogenblik de zaal in. Het licht was te fel om de gezichten te kunnen onderscheiden.
Het was de bedoeling dat ik eerst mijn naam zou zeggen en dan naar het midden van het podium zou lopen. Ik opende mijn mond...
Mijn naam.
Mijn... naam?
Eh...
Wacht, geen 'eh' zeggen. Eh...
'Zijn we zover, mejuffrouw Bascomb?'
Dat is waar ook. Bascomb. En mijn voornaam is... Desi! Hoera!
'Mijn naam is Desi Bascomb,' zei ik met mijn gezicht naar de zaal terwijl ik naar het midden van het podium liep. Daar bleef ik stokstijf staan. Kom op, je hebt wel voor hetere vuren gestaan. Het zijn maar bovenbouwers, geen royals. Ik wuifde mezelf koelte toe met mijn tekst. Als ik niet zou flauwvallen of het podium zou afdrijven van het angstzweet, zou ik het misschien tot Boom 3 kunnen schoppen.
'Ik zit in de tweede,' vervolgde ik. 'Mijn lievelingskleur is blauwgroen en ik hou van winegums.' Ik schraapte mijn keel, keek naar het vel papier in mijn hand en probeerde er niet bij stil te staan dat het blad trilde. Of dat ik tijdens de voorbereiding drie blikjes Mountain Dew had gedronken...

dus je snapt wel wat ik moest doen. Of beter gezegd, niet kon inhouden.

Ik legde mijn hand op mijn hart en staarde in het spotlicht. Nadat ik nog een keer mijn keel had geschraapt, begon ik aan mijn monoloog.

'Je noemt me schoon? Verschoon me daarvan.
Neen, Demetrius bemint jouw schoon. Zoet-schone!'

Mijn stem bibberde en klonk allesbehalve theatraal of Shakespeariaans. Ik sloeg mijn armen om mijn middel en keek weg. Ik dacht aan de betekenis van de woorden. Helena viel op de jongen die verliefd was op haar beste vriendin. Ze zei dat ze er alles voor over had om ervoor te zorgen dat Demetrius die gevoelens op haar zou richten.

Ik kende die pijn. Ik dacht aan mijn domme verliefdheid op Hayden, en aan Karl en Elsa, wat een Shakespeare-tragedie op zichzelf kon zijn. Was er maar een jongen die míj leuk vond omdat ik gewoon Desi was. Iemand die in mijn eigen wereld om me gaf.

Ik keek weer in het spotlicht. Mijn lichaam beefde van Helena's verlangen. Ik tintelde van emotie, totdat ik Helena bijna wás. Datzelfde gevoel kreeg ik wanneer mijn MP werd geactiveerd en ik me in een prinses verplaatste. Maar magie werkte alleen als ik Royal Rouge had gebruikt. Hoe kon ik thuis datzelfde magische gevoel oproepen, ver weg van Façade?

Ik ging verder en zette al mijn tintelende energie om in mijn monoloog.

'Totdat jouw oog mijn oog werd, tot mijn tong
De zoete wijsjes van de jouwe zong.
Had ik de hele wereld, o ik zou
Haar maken, op Demetrius na, tot jou.

Leer mij je blik, vertel door welke kunst
Jij invloed oefent op Demetrius' gunst.'
In de zaal klonk een enthousiast applaus. Dat moest wel een goed teken zijn. Ik knipperde met mijn ogen. Zodra de magie van de woorden was verdwenen, brak het zweet me weer uit.
'Eh, nee wacht... dank u.' Ik maakte een buiging, een gewoonte die ik had overgehouden van mijn werk als stand-in, en verliet het podium. Reed knikte naar me, maar ik ging niet naast hem zitten. In plaats daarvan opende ik de deur van de zaal en trok me terug in het damestoilet, waar ik me van mijn overdosis Mountain Dew ontdeed.
Toen ik het toilethokje uit kwam, zag ik mezelf in de spiegel. Mijn gezicht zag bleek, maar leek tegelijk te gloeien. Hoe was het mogelijk dat mijn zenuwen me zo veel energie hadden gegeven? Ik hief mijn arm op om mijn pony te fatsoeneren, toen mijn oog op mijn oksel viel. Gats... Gouden Helena-moment of niet, ik was wel nat van het zweet. Terwijl ik durfde te zweren dat ik die ochtend deodorant had gebruikt. Hoe had ik ook zo'n stom goedkoop merk kunnen kopen?
En... o ja. Net boven de zoom van mijn T-shirt zat een enorme chocoladevlek. Waarom was me dat niet opgevallen vóór ik het podium op ging? Ik gaf een harde klap op de kraan: het water spoot eruit. Zweetplekken, een chocoladevlek en een doorweekt T-shirt. Tja, Miss Onderbouw.
Het shirt zou niet snel drogen en ik moest de rest van de audities nog uitzitten. Ik kreeg een idee, maar verdrong het meteen weer. Nee, dat sloeg nergens op. Hoewel...
Maak het hele T-shirt nat.
Dan zou het lijken alsof ik frisdrank had gemorst en het

shirt had uitgespoeld. Een nat T-shirt was minder erg dan een shirt met zweetkringen en een chocoladevlek. Ik ging tegen de wastafel aan staan, kneep wat zeep in mijn handpalm en spoelde mijn shirt uit. Het had wel iets rustgevends. Toen het shirt schoon was, gaf ik een klap op de handdroger om het ergste vocht te laten verdampen, maar hij deed het niet. Ik zat nog niet eens in de bovenbouw en maakte er nu al een puinhoop van.

Ik schudde mijn handen uit en zag dat een van de druppels uitgroeide tot een zeepbel die, in plaats van uit elkaar te spatten, opsteeg naar het plafond.

Wacht eens...

Werd hij...

Groter? Jazeker. De zeepbel werd zo groot als een meloen, om uiteindelijk uit te groeien tot een strandbal. Ik riep bijna 'tada!' toen mijn agent, Meredith, uit de zeepbel stapte.

'Schat.' Ze leunde tegen de andere wastafel en nam me met een blik vol afgrijzen op. 'Ik wist niet dat er in *Een midzomernachtsdroom* een natte-T-shirt-wedstrijd zat.'

'Meredith!' Ik bedekte mijn borst. 'Waarom kom jij toch altijd onaangekondigd binnenzweven?'

'Ik reis per zeepbel. De wind drijft me voort.'

Toen pas drong tot me door wat de komst van mijn agent betekende: werk! Léúk werk! Ik slaakte een gil en vloog haar om de hals. 'Je bent terug! Dus ik ben klaar voor Niveau 2? Heb ik genoeg geoefend? Waarom heb je me niet gezegd dat je zou komen? Waar gaan we heen?'

Ze maakte zich los uit mijn omhelzing. 'Kom, dan praten we in de zeepbel verder. Mijn haar lijkt wel limoengroen in dit licht. En jouw haar... Ach, stap maar in.'

4

Het interieur van Merediths nieuwe zeepbel was nog mooier dan in de vorige. In plaats van een kantoortje met zithoek, had ze nu een ontvangstkamer met meubels, een bank, een televisie en een keukenblok. Op de salontafel prijkte een enorme geschenkenmand. Haar kantoortje, dat zichtbaar was door de openstaande deur, was in dezelfde monotone tinten uitgevoerd als in de oude zeepbel, maar met mooiere boekenkasten, een bureau met een glazen blad en een schilderij dat ik in een kunstboek meende te hebben gezien. Ze wees op haar nieuwe hardhouten vloer. 'Drup, drup, drup. Moet jij altijd als een natte hond komen binnenvallen?'
'Ik heb net een rampzalige auditie achter de rug.'
Ze zuchtte. 'Je bent zélf een ramp.'
'Hallo, Desi, leuk dat je er bent!' zei ik sarcastisch. 'Sorry dat ik je niet eerder ben komen oppikken, maar...'
'Maar...' – Meredith reikte me een handdoek aan en wees op twee stoelen aan een tafel met een chromen frame – 'je was er nog niet klaar voor. Façade vindt kwaliteit belangrijker dan kwantiteit op Niveau 2, dus we pakken het zorgvuldig aan. Je hebt nu eindelijk voldaan aan de vereisten op het BEST-programma dat ik je heb gestuurd.'
'O ja? Hoe dan?'
'Wat de muziek betreft was het kantje boord. Laten we hopen

dat je kennis van klassieke muziek voldoende is, want je vioolspel klonk...'
'Als kattengejank. Ik weet 't.'
'Daarmee beledig je de katten. Ik zal je vaardigheden moeten opblazen in je BEST-rapport. Met je auditie heb je voldaan aan het vereiste van spreken in het openbaar.' Meredith trok haar lage, groene paardenstaart iets strakker aan. 'Niet dat je nu naast je schoenen moet gaan lopen, maar dat deed je best goed.'
'Vind je? Het was een heel vreemd gevoel. Alsof ik op het podium stond, maar tegelijk ergens bij Helena in Engeland was. Weet je nog dat je tegen me zei dat ik mijn MP heel diep zou voelen als ik helemaal zen werd? Toen ik me op Helena concentreerde, kwamen al die... al die gevoelens binnenstromen en maakte het me niks meer uit dat ik Shakespeariaans sprak. Het klinkt misschien gek, maar het leek pure magie. Als stand-in heb ik Royal Rouge nodig om die magie op te roepen, maar dit was een soort, hoe zal ik het zeggen, minimagie.'
'Is dat een wetenschappelijke term? Minimagie?'
'Je geeft geen antwoord op mijn vraag.'
'Je hebt geen flauw idee waar je het over hebt. En je bent nog niet binnen of je vraagt me het hemd van het lijf.' Meredith richtte zich in haar volle lengte op. Dat was niet meer dan één meter zeventig, maar haar ego nam veel plaats in. 'Ik ben trouwens blij dat je het thuis zo goed doet. Ik ga een espresso maken. Wil jij ook?'
'Heb je ook warme chocolademelk?'
'Dat is iets voor kinderen. Ogenblikje.'
Ze bereidde onze drankjes in haar nieuwe koffiemachine. Binnen vijf seconden had ik hete chocolademelk op mijn

shirt gemorst, terwijl Merediths fijnmazige witte topje en groene linnen broek er schoon en kreukloos bleven uitzien, net als haar huid, die er altijd geairbrusht uitzag, haar perfect gemanicuurde nagels en... wacht, haar linnen broek? Waar was haar mantelpakje gebleven?
'Waarom is alles veranderd?'
'Oploskoffie is niet lekker.'
'Nee, ik bedoel je kantoor. Je uiterlijk.'
'Mijn uiterlijk? Ik volg de trend van het seizoen, schat. En mijn nieuwe kantoor is een extraatje. Omdat jij je zo goed hebt verdedigd voor het Koninklijk Hof van Beroep heeft Geneviève mijn ingetrokken privileges teruggegeven. Dus geniet maar van de extra's van Niveau 2. Over extra's gesproken, die cadeaumand is voor jou.'
'Voor mij? Mag ik het papier eraf halen?'
'Natuurlijk. Hoe wil je de cadeautjes er anders uit halen?'
Ik vloog op de mand af. Er lag een kaartje in, waarop te lezen stond:
DESI,
WE ZIJN BLIJ MET JE PROMOTIE. WELKOM OP NIVEAU 2.
MET KONINKLIJKE GROET, AGENCY FAÇADE.
Ik trok de grote strik los die om het cellofaan zat en vouwde het tissuepapier open. Jeetje! De mand zat vol dure make-up, lotions, drie leuke topjes, mooie pumps waarop ik nooit zou durven lopen, bonbons, en een horloge dat veel te hip was voor een tiener uit Sproutville. Ik riep bij elk cadeautje 'o' en 'ah', verbijsterd dat alles in de mand voor mij was.
'Dit moet honderden dollars hebben gekost.'
'Meer dan duizend zelfs. Alleen al dat horloge kost achthonderd dollar.'

Ik liet mijn vingers over het horloge glijden. Zoveel had de Miss Idaho-tiara van mijn moeder niet eens gekost. 'Maar... wat een koninklijke behandeling. Waarom krijg ik dit? Ik ben maar een stand-in.'
'Een Niveau 2-stand-in. Dat is het betere werk. Zodra je aan je eerste klusje begint, zul je zien dat het er heel anders aan toegaat op dit niveau.'
Ik smeerde wat roze lipgloss op mijn lippen. 'Wanneer begin ik aan mijn eerste klusje?'
'Je krijgt een rapport met alle details zodra je de Niveau 2-training achter de rug hebt. Ben je er klaar voor om de plaats van een belangrijke prinses in te nemen?'
'Ja, natuurlijk. Het maakt me niet uit wie.' Ik smakte met mijn lippen en pakte het doosje bonbons uit de mand. 'Ik ben heel makkelijk.'
'Nee, dat ben je niet. Daar moet ik het nog met je over hebben.' Meredith zette haar kopje op het schoteltje. 'Je hebt je goed verweerd voor het Hof, maar je mag je niet meer in het leven van de prinsessen mengen. En er wordt sowieso niet gezoend – tenzij dat uitdrukkelijk in het profiel van de prinses staat. Maar dat lijkt me onwaarschijnlijk, want de meeste meisjes willen niet dat een stand-in hun prins zoent.'
Hun prins zoent. Ai, Karl. Die zachte mond. Ik wreef mijn glosslippen over elkaar. Ik vroeg me af of ik hem tijdens een klus nog eens tegen het lijf zou lopen. Het zou leuk zijn hem weer te zien. En zijn zachte mond. Of had ik dat al gezegd?
'Reageer daar eens op, schat.' Meredith wreef over haar slapen. 'Als we tussen twee klussen tijd hebben, zal ik je de stad laten zien en stel ik je aan een aardige Parijse jongen voor. Die zijn veel leuker, en écht. Ik weet zeker dat onze

dekmantel-agency, Mirage, een leuk mannelijk model voor je in de aanbieding heeft.'
Ik zette Karl uit mijn hoofd en probeerde een professioneel gezicht te trekken. 'Meredith, dat is niet nodig. Trouwens, daar ben ik ook nog te jong voor.'
'Denk je?' Ze snoof. 'Ik zag je anders laatst wel een tijdschrift kopen, en dat was niet voor het artikel "Mooie benen in 10 stappen".'
Ik verslikte me bijna van woede. 'Heb je niks anders te doen dan me in de supermarkt te bespieden? Oké, ik was misschien een beetje verliefd, maar dat is alweer over. Net als jij met je prins, weet je nog?'
Dat was onder de gordel. De laatste keer dat ik Meredith zag, stuurde ze een sms'je naar een prins die ze als stand-in had moeten dumpen omdat hij haar bijna haar baan had gekost. Het moest jaren geleden zijn dat ze hem voor het laatst had gezien. Ware liefde of niet, als stand-in daten met een prins was een groot taboe binnen de agency. Ik wist niet of hij nog op haar sms'je had gereageerd, maar wel dat ze me dat nooit zou vertellen.
We staarden elkaar aan. Meredith sloeg als eerste haar ogen neer. Eén-nul voor Desi.
'Ja. Zo is dat,' zei ze. 'Oké, Miss Profi, wil je dan nu uit de zeepbel stappen? Dan kunnen we met de Niveau 2-training beginnen.'
'Zijn we er al? Maar...'
'Ik wou dat ik kon zeggen dat ik je vraag niet had gehoord, maar van liegen krijg ik jeuk. Ja, we zijn er. Zachtere landing en verbeterde parkeerprivileges horen allemaal bij de promotie. Laat die mand hier maar staan, dan zorg ik wel dat je hem later terugkrijgt. En mocht je denken dat die make-up

een hint is, dan heb je dat goed begrepen. Een beetje mascara kan geen kwaad, hoor.'
'Je lijkt mijn moeder wel.' Ik stapte door de zeepbelwand naar buiten. Ik had geen mascara nodig. Binnenkort zou ik toch iemand anders zijn. En met iemand anders bedoel ik een belangrijke, culturele Niveau 2-prinses.
Zodra we in de foyer stonden, floepte de zeepbel terug in Merediths antenne. Ze kneep even liefkozend in het apparaatje. 'O, wat heb ik genoten van ons ritje.'
En ik genoot van de koninklijke grandeur van Façade. De receptiehal gloeide in het zonlicht dat door de glas-in-loodramen naar binnen viel. Museumcuratoren zouden hun vingers aflikken bij de onbetaalbare koninklijke voorwerpen – van marmeren wijwaterbak tot gouden tandenborstels – die keurig waren tentoongesteld in de grote hal. Maar de kunstenaar die bezig was met een mozaïek achter de receptiebalie was nieuw. Evenals de tafels die langs de wand met tiara's stonden. Elk hoekje en gaatje ademde een verwachtingsvolle sfeer.
'Wat is hier aan de hand?' vroeg ik.
'Geneviève wordt deze maand zeventig, dus het kantoor wordt gerenoveerd voor haar verjaardagsfeest. Alles moet perfect zijn. Specter zal merken wie hier de scepter zwaait.'
'Wie is Specter? Zit hij ook in de Raad?'
'Specter is geen persoon, maar een andere afdeling van Façade. Dus er is gewoon een beetje een concurrentiestrijd met onze afdeling.'
'Wat doen ze?'
'Van alles wat.' Meredith wuifde met haar hand. 'Best lastig om al die afdelingen en hun taken uit elkaar te houden. Ander nieuws is dat Geneviève misschien met pensioen

gaat. In dat geval zal de hele raad worden gereorganiseerd. Dat betekent promotiemogelijkheden.'
'Denk jij soms dat je promotie krijgt? Laat me niet lachen,' zei een stem.
Meredith en ik krompen ineen. We ademden tegelijk uit en draaiden ons om naar Lilith, Merediths eeuwige rivale, die op een bank in de wachtruimte aan een quilt zat te werken. Haar lange vingers haalden de naald door de stof. Haar keurig gestreken halterjurk met bloemenpatroon gaf haar de uitstraling van een huishoudgodin. Ze had zelfs parels om...
Meredith streek haar topje glad en ging tegenover Lilith in een oorfauteuil zitten. Ik bleef staan om hen de ruimte te geven. Hun gezichten stonden hard en ik verwachtte bijna een vrouw in bikini met een bordje EERSTE RONDE, zoals bij een bokswedstrijd net voordat de bel gaat.
'Had ik je al een ritje aangeboden in mijn zeepbel, Lilith?' Meredith trok een wenkbrauw op. 'Het is een NT-94. Ken je dat model? Jij hebt nog steeds een JD-35, of niet?'
Lilith borduurde geconcentreerd verder aan het ontwerp van een veelkleurige boom. 'Zeepbelmodellen zeggen weinig vergeleken bij harde cijfers. Mijn promotie is zo goed als zeker. Die van jou kun je dus op je buik schrijven.'
'Kijk maar uit, schat. Arrogantie maakt die rimpel tussen je wenkbrauwen alleen maar dieper.'
'Alsjeblieft, zeg. De kans dat jij ooit uit de middenmoot komt, is even groot als de kans dat die prins van jou je een aanzoek doet.'
Merediths glimlach verstrakte. Ik hield mijn adem in. Ik was geen fan van Lilith, maar ik moest toegeven dat ze wist hoe ze een punt moest scoren.

'Die prins,' zei Meredith effen, 'is verleden tijd. Maar nu we het daar toch over hebben, zullen we het er dan ook maar over hebben dat jij details die ik je als vriendín vertelde, doorbriefde aan de Raad? En met achterbaks gedrag kom je zeker niet in de Raad.'
Jeetje. Had Lilith haar verraden? Sterker nog, waren ze ooit vriendinnen geweest? Ik zou aantekeningen moeten maken in mijn handcomputer. Wat een sappige verhalen.
'Dit is puur zakelijk, Mer.' Elegant beet Lilith de borduurdraad door. 'Je moet de regels kennen en weten hoe je ermee moet omgaan. Zie je deze quilt die ik voor Genevièves verjaardag aan het maken ben? Het is haar stamboom.'
Ze hield de quilt omhoog zodat Meredith de details goed kon zien. Meredith probeerde ongeïnteresseerd te kijken, maar haar ogen bleven afdwalen naar het ontwerp. Namen en data waren keurig boven de takken geborduurd.
'Vier takken van haar familie hebben een koninklijke bloedlijn.' Lilith wees op een tak. 'Vier! Dat is bijna genoeg voor een titel!'
'Wat wil je daarmee zeggen?' vroeg Meredith.
'Onze reputatie is niet het enige wat telt. Je kunt op je lauweren rusten en jezelf een schouderklopje geven voor je goede daden, maar dat verandert niets aan je afkomst. Als ik zo'n quilt voor jou zou maken, zou het niet meer dan een stronk worden.'
'Afkomst doet er al zo'n tweehonderd jaar niet meer toe. Zelfs royals geven niets meer om bloedlijnen. De kroonprins van Noorwegen heeft zijn vrouw ontmoet op een popconcert,' zei Meredith.
Lilith boog voorover en gaf Meredith een klopje op haar knie. Ik zag aan het gezicht van mijn agent dat ze haar ui-

terste best moest doen Lilith geen schop in haar gezicht te geven.
'Dat weet ik ook wel, schat.' Ze liet haar stem dalen. 'Maar grof gezegd komt het erop neer dat de agency wil dat we onze klanten toegewijd zijn, en iemand die uit hetzelfde hout gesneden is, kan zich makkelijker aanpassen aan de koninklijke rolpatronen. Ik had twee graven en een hertogin op mijn kostschool, en ging al met deze mensen om voordat ik zelfs maar van Façade had gehoord.'
'Aanpassen? Ik heb in twaalf pleeggezinnen gewoond, dus je hoeft mij niets te vertellen over áánpassen.'
'Even goeie vrienden.' Lilith haalde haar schouders op en vouwde de quilt op in haar schoot. 'Als ik promotie maak, zal ik ervoor zorgen dat je meer van die Niveau 1-invallers krijgt waar je zo dol op bent.'
Ik kon het niet uitstaan dat Lilith stand-ins 'invallers' noemde.
'Ahum, Niveau 2 hier,' zei ik, maar ik had er meteen spijt van. Doordat ze hun aandacht op mij richtten, staakten ze hun informatieve gekibbel.
Lilith haalde haar neus op. 'Zeg, Meredith, ben je soms vergeten je voeten te vegen toen je uit de zeepbel stapte? Het stinkt hier naar... Idaho.'
Ik verbeet mijn glimlach. Ik had Lilith in het begin, toen ze me klaarstoomde voor Niveau 1, aardig gevonden, maar nu zag ik hoe doortrapt en arrogant ze was. Ze kon er nog zo braaf uitzien, ze was een snob. Scarlett O'Hara, in *Gejaagd door de wind*, was een lieverdje vergeleken bij haar. 'Hoi, Lilith.'
'Ach, Desi, lieverd!' Ze nam me snel van top tot teen op. 'Ik had je niet gezíen.'

Meredith stond op. 'Voor ons was het onmogelijk jou over het hoofd te zien, schat. Dat geurtje dat je op hebt, is zo goedkoop dat we je wel móésten opmerken.'
'Het komt uit de Façade-boetiek.' Lilith richtte haar blik weer op haar quilt. 'Ik steun onze agency waar ik maar kan.'
'Alsof dat met parfum kan,' zei ik.
'Typisch een opmerking voor een onterechte en onwetende Niveau 2.' Lilith sloeg haar ogen ten hemel. 'Jij weet waarschijnlijk niet eens hoe je eyeliner moet aanbrengen.'
Ik snoof. 'Eyeliner maakt je nog niet tot een goede stand-in.'
Meredith gaf me een kneepje in mijn elleboog. 'Voorzichtig. Laat mij het woord maar doen, oké?'
Mijn mond viel open. Meredith had een hekel aan Lilith. Waarom zou ze voor haar opkomen als het over zoiets onbelangrijks als make-up ging?
'Lilith, ga jij maar verder met stamboompjes op je quilt borduren, dan ga ik aan het werk. Als er iemand wordt gepromoveerd, ben ik het. Het spel is voorbij.' Meredith maakte rechtsomkeert en liep een gang in die op de cirkelvormige foyer uitkwam.
Lilith grijnsde nog een keer naar me.
Ik wist me te beheersen en niet kinderachtig mijn tong naar haar uit te steken. Maar ik wilde wel het laatste woord hebben. Ik wees op de quilt en zei: 'Wat een slordige steken.'
Misschien had ik eerst even een scherpe belediging op mijn handcomputer moeten opzoeken, maar ik stak mijn neus in de lucht en haastte me langs de tiarawand naar Meredith, die op een fluwelen bank op me wachtte. Ze klopte op de plek naast haar.
'Sorry dat ik uit mijn rol viel. Maar ik krijg de rillingen van dat serpent.'

'Dat komt van al die schubben.'
Meredith grinnikte. Was ik tegen Lilith maar zo ad rem geweest.
'Waar ging dat net over?' vroeg ik. 'Ik weet dat Lilith een kreng is, maar jullie kunnen elkaars bloed wel drinken.'
'Sinds bekend is dat Geneviève wellicht met pensioen gaat, is de hele agency in rep en roer. Als de raadsvoorzitter vertrekt, wordt er gereorganiseerd. Dan wordt iemand van het Hof van Beroep het nieuwe raadshoofd. Vervolgens moet het vertrekkende hoflid ook weer worden vervangen, dus nu azen alle agenten en coördinatoren van de verschillende afdelingen op die functie bij het Hof. En als ambitieuze werknemers, van wie de meeste MP hebben, promotiekansen ruiken... zal Façade een tijdlang behoorlijk onstabiel zijn.'
'Afdelingen? Wou je beweren dat er zes afdelingen zijn, voor elk lid van het Hof één?'
'Voor zover ik weet, zijn er veel meer afdelingen. Voor elke twee of drie afdelingen wordt één hoflid benoemd. Geneviève beheert de belangrijkste afdelingen, zoals de Commandocentrale, Specter en onze stand-inafdeling, die eigenlijk Glimmer heet.'
'Dat wist ik helemaal niet.'
'Ik noem het ook nooit zo. Mij te flitsend. Dan heb je nog de afdelingen Zeepbelonderhoud, Mirage, Glamour, Historisch Behoud, Personeelszaken... Ik ga ze niet allemaal opnoemen.'
'Cool, zeg. Ik wist van de helft niet eens dat ze bestonden. Vertel.'
'Niet nu. Geneviève is de enige die weet hoe groot Façade is, omdat zij de enige is die het móét weten. Jij hoeft nu alleen

maar aan je eigen baantje te denken. Dus schiet nu maar op. Ze kan elk moment hier zijn.'
'Wie? Geneviève?'
Meredith negeerde me, pakte haar afstandsbediening en tikte op een paar knopjes. Ik had duizend vragen, maar ik zag aan Merediths gezicht dat ze daar niet voor in de stemming was. Ik vermoedde dat dit vanwege de 'onstabiele' situatie was. Ik keek naar de stenen muren om me heen, maar als er íéts stabiel leek, was het wel dit kantoor.
Een paar minuten later kwam Geneviève de hoek om. Ik wist dat ze belangrijk was, maar nu ik van Meredith had gehoord hóé belangrijk, ging ik toch even iets rechterop zitten. Genevièves regenbooghaar was perfect gekruld en haar ooghoeken rimpelden toen ze glimlachte. Ze droeg een rood mantelpakje waardoor ze iets had van een moderne kerstman... eh, kerstvróúw. Als ze haar haar wit zou verven, zou ze zo de belangrijkste baan van de wereld kunnen overnemen.
Ze kwam met uitgestrekte armen op ons af. 'Bedankt voor het wachten. Het spijt me dat ik zo laat ben.'
Meredith stond op en luchtkuste Geneviève. Daarna wendde Geneviève zich tot mij en omhelsde me elegant. Nog lang nadat ze me had losgelaten, rook ik haar vanille- en kaneelgeur. 'Desi. Welkom terug. Heb je een fijne vakantie gehad? Nog wat spannends meegemaakt in... Montana was het toch?'
'Idaho.' Ik keek even naar Meredith om me ervan te verzekeren of ik zo'n hooggeplaatst persoon wel mocht corrigeren. 'Ik zit alweer een paar weken op school.'
'O, leuk! Ik heb de middelbareschooltijd erg interessant gevonden. Hoewel mijn BEST-programma ook wel belangrijk voor me was. Ik neem aan dat je je BEST-programma onder

de knie hebt en klaar bent voor je volgende klus? Anders was je hier natuurlijk niet.'
Ik knikte.
'Dan kunnen we ons nu op jouw vaardigheden als stand-in richten.'
'Doet u vandaag de introductie? Ik... ik voel me vereerd.'
Zo'n hooggeplaatst persoon als Geneviève verdiende een formeel gebaar. Ik wilde een kleine buiging maken – geen revérence – maar Meredith kuchte en gaf me een por.
'Ik nodig al onze Niveau 2's uit in Dorshire Hall,' zei Geneviève. 'Mijn lievelingstraditie bij Façade.'
'Dank u. Weet u zeker dat u het niet te druk hebt?'
'Druk? Pff!' Geneviève gaf me een klopje op mijn hand. 'Vergeet niet dat we alle tijd van de wereld hebben. Extraatje van de zaak. De Wet van de Verdubbeling betekent dat we minder snel oud worden.'
De Wet van de Verdubbeling was Façades versie van tijdreizen. Ik begreep de techniek (of magie) achter de wet niet, maar Façade was in staat de tijd zo te manipuleren dat mijn leven thuis stilstond zodra ik aan mijn stand-inwerk begon. Als ik weer thuiskwam, bleek ik in dezelfde tijdsperiode op twee plaatsen tegelijk te zijn geweest. Misschien dat er een paar seconden tussen zaten... maar goed, ik begreep er dus niets van. 'Word je dan ook langzamer oud als je per zeepbel reist?'
'Daar lijkt het wel op, ja. Maar de juiste huidcrème doet ook veel voor je.'
'Nou, ik ga weer aan het werk,' zei Meredith. 'Geniet ervan, Desi. Dorshire Hall is uniek. Je zult het geweldig vinden. Kom daarna maar naar de Glamour Studio, tegenover de Commandocentrale.'

Geneviève gaf me een arm en loodste me een trapje op terwijl Meredith een andere kant op ging. 'Dorshire-privileges,' zei Geneviève, 'worden normaal alleen toegewezen aan raadsleden en agenten op hogere niveaus, maar we maken een uitzondering voor stand-ins die op een nieuw niveau beginnen. Ik wil mijn meisjes graag leren kennen. Als bedankje voor het harde werk dat jullie verrichten voor Façade.'

Toen we boven aan de trap kwamen, gingen er twee openslaande deuren open. Een grijzende man met het lichaam van een bodybuilder maakte een buiging en schraapte zijn keel. 'Uw tafel is klaar, Madame Geneviève.' Vervolgens wendde hij zich tot mij, en ik zag dat hij een afkeurende blik op mijn spijkerbroek en nog altijd vochtige SHAKESPEARE IS COOL ENDE VET-T-shirt wierp. 'Ik zie dat uw gast zich nog dient om te kleden.'

'Ja, graag, Bosworth.'

Bosworth maakte opnieuw een buiging en gebaarde ons naar binnen te gaan. De receptiehal was bekleed met donkere houten wanden. Direct aan de rechterkant bevond zich een jassenkast.

Nee, een júrkenkast.

Er hingen honderden jurken in alle maten en stijlen. Bosworth maakte een hoofdgebaar naar een rek. 'Uw maat, naar ik aanneem. Zoek maar uit wat u mooi vindt.'

Meredith had gelijk. Niveau 2 was geweldig.

5

Ik keek het rek door en haalde er een eenvoudig zwart jurkje met boothals uit dat me aan Audrey Hepburns jurkje in *Breakfast at Tiffany's* deed denken. Geneviève knikte goedkeurend. 'Bosworth zal voor je schoenen zorgen. Als je klaar bent, zie ik je aan onze tafel.'
Achter in de garderobe was een kleine kleedkamer. Ik trok mijn kleren uit en deed de jurk aan. Zo goed had een jurk me nog nooit gepast. En hij was nog droog ook.
Toen ik de kleedkamer uit kwam, reikte Bosworth me een goudkleurige draagtas en goudkleurige ballerina's aan. 'Voor madames... outfit.'
'Dank je, Bosworth. Mag ik je "Bos" noemen?'
'Als u me wilt volgen, madame?'
Ik deed mijn T-shirt en spijkerbroek in de draagtas en liep met Bos mee naar de kleine entree van de zonnige eetzaal.
Ik had verwacht dat ik inmiddels gewend zou zijn aan alle luxe en glitter, maar zelfs de rijkste royal zou onder de indruk zijn van de allure van Dorshire Hall. De zaal stond vol met antieke tafels en de muren waren behangen met rijk versierd, crèmekleurig damast. Bijna alle monarchieën, zowel uit het heden als het verleden, waren vertegenwoordigd in delicaat porselein, zilveren couverts of onbetaalbaar meu-

bilair. Schilderijen van honderden royals bedekten het gewelfde plafond dat uitliep in een sierlijke v.
Bij onze tafel aangekomen, trok Bosworth voor mij een stoel onder de tafel vandaan.
Dus dit was Niveau 2. Dít zou gewoon voor me kunnen worden.
Geneviève keek me glimlachend aan over haar theekopje. 'Een de leukste kanten van mijn werk is een stand-in hier voor de eerste keer te ontvangen. En maak je maar geen zorgen om het menu, de chef maakt een vijfgangenmenu voor ons klaar.'
'Wat een prachtige zaal.' Ik nam een slokje van mijn ijswater en keek om me heen. 'Echt... schitterend. U zult dit wel vaker horen, maar ik voel me net een prinses.'
'Ja, mooi, hè? Maar ter zake. Voordat we het over jou gaan hebben, wil ik dat je naar de portretten boven ons kijkt. Hoe voel je je?'
'Overdonderd. En vereerd dat ik in hun gezelschap mag verkeren. Zijn ze allemaal van koninklijke afkomst?'
'Niet allemaal. De geschiedenis van Façade is ook vertegenwoordigd in Dorshire Hall. Dat portret daar is van de moeder van onze agency, Woserit.' Ze wees naar een schilderij met het profiel van een vrouw met een donkere huid en zwartomrande ogen. Ze droeg een oud-Egyptische jurk. 'Zoals je weet heeft Woserit ontdekt dat het slib van de Nijl magische krachten bezit. Door zichzelf te veranderen in haar koningin werd ze de eerste stand-in. Woserit gaf het geheim van het slib dat wij in onze rouge gebruiken door aan haar vrouwelijke afstammelingen. Generaties lang was alleen haar nageslacht op de hoogte van de magie die ze had ontdekt.'
Ik keek naar de portretten aan het plafond. 'Als alleen Wo-

serits familie van de magische krachten wist, hoe is Façade dan ontstaan?'
Geneviève wees naar een ander schilderij, waarop een vrouw was afgebeeld met een gewiekste glimlach en een middeleeuws hoofddeksel. Naast haar stond een jachthond. 'Dat is Beatrix de Dappere. Beatrix was de eerste van Woserits afstammelingen die de bestanddelen van het slib onderzocht. Ze ontdekte dat het slib alleen werkte bij mensen met magische krachten. Nu noemen we dat MP. Ze deed tests met MP – wie beschikte erover, waar werd het door veroorzaakt – en beschreef de resultaten. Zoals je weet, wordt het sluimerende MP bij mensen opgewekt door de interactie met een ander organisme.'
'Bij mij was dat een vis,' zei ik. Ik herinnerde me de dag dat ik een wens deed bij de vis achter in de dierenwinkel. Ik wilde iemand worden die indruk zou maken. En met dit baantje was mijn wens uitgekomen.
'Ik had een akelige ontmoeting met een neushoorn, maar dat liep gelukkig goed af. Beatrix vermoedde dat haar MP was opgewekt door een hond. MP is niet erfelijk, maar uniek voor elk individu.' Geneviève nam nog een slokje van haar thee. 'Beatrix was ook wetenschapper en uitvinder. Ze heeft onze eerste zeepbel ontworpen. Haar eerste ritje kostte haar bijna het leven.'
'Een bezig bijtje.' Ik keek omhoog naar Beatrix' berekenende blik.
'Een slimme vrouw ook. Ze besefte dat er zuinig met magische krachten moest worden omgesprongen en dat het voor kwade doeleinden zou kunnen worden ingezet. Ze sloot een geheim verbond met wereldleiders en kwam overeen dat magie alleen mocht worden gebruikt voor konings-

huizen. In ruil daarvoor beloofden zij het nieuw opgerichte Façade financieel te steunen. Die opzet hebben we altijd gevolgd.'

'Ze gaf dus macht aan mensen die al machtig waren. Maar veel monarchen hebben kwaad in de zin.'

Geneviève leunde achterover terwijl de eerste gang – exotisch fruit en een kaasplankje – werd geserveerd. 'Dat is een van de redenen dat ze het verbond heeft gesloten. De koninklijke families hebben zelf geen toegang tot de magie en zijn afhankelijk van wat wij voor ze willen doen. Door die afspraak hebben wij de macht over de magie en niet zij.'

'Waar bestaat die macht eigenlijk precies uit?'

'Daar wilde ik het vandaag met je over hebben. Over MP. Stand-ins kunnen hun magie alleen opwekken als ze Royal Rouge dragen, maar je kunt je MP versterken door er helemaal in op te gaan. Meestal is daar een bepaalde emotie of karaktereigenschap voor nodig, waardoor je je magie dieper ervaart. Die emotie is voor iedereen uniek. Als je je in die opwekkende emotie kunt inleven, vergroot dat je bekwaamheden voor Façade. Dat lukt vaak pas na jarenlange stand-in-ervaring.'

'Geeft magie een tintelend gevoel?'

Geneviève keek verrast. 'Het voelt voor iedereen anders, maar zo zou je het kunnen omschrijven. Wanneer heb je dat gevoel voor het eerst gehad?'

'Meredith had gezegd dat ik bij een moeilijke klus gebruik kon maken van mijn emoties. Dus ik voelde die tinteling toen ik... indruk maakte op de prinsessen. Zo noem ik dat.'

Ik knabbelde aan een aardbei. 'Het gevoel is het hevigst als ik me inleef in wat een klant wil. Dan voel ik wat zij voelen. Dat is heel heftig.'

'Interessant.' Geneviève tikte met haar pink op haar lip. 'Speel daarmee. Probeer erachter te komen wat die momenten met elkaar gemeen hebben. Dat noemen we "magisch potentieel met een reden". Hoe beter je je leert inleven, hoe sterker je magische krachten worden.'
'Ik heb het nooit als een kracht gezien.'
'Daarom organiseren we dit soort bijeenkomsten. Je superieuren moeten weten wat je ervaart. Zo komen we te weten hoe we jou en onze klanten het beste kunnen helpen.'
'Vandaag gebeurde er ook iets raars.' Ik schoof mijn bord opzij en boog me naar haar toe. 'Ik deed auditie voor ons schooltoneelstuk en kreeg datzelfde tintelende gevoel toen ik me in mijn rol inleefde. Ik moest Helena spelen. Dus ik dacht aan haar zoals ik aan een prinses denk wanneer ik stand-in voor haar moet zijn. Ik probeerde me heel goed voor te stellen hoe–'
'Dat is iets anders.' Geneviève keek me met een frons aan, alsof ik met mijn blote handen in een bord eten graaide. 'Je kunt je magische krachten alleen voor Façade inzetten. MP is slechts het potentieel voor magie. Dat vermogen komt alleen vrij als je onze rouge gebruikt en wij je daarin begeleiden.'
'Maar hoe kan het dan toch hetzelfde voelen?'
Geneviève gaf me een klopje op mijn hand. 'Emoties zijn vaak moeilijk te ontcijferen. Waarschijnlijk was je gewoon nerveus.'
'Als ik nerveus ben, word ik misselijk. Dat had ik toen ik wist dat Elsa verliefd was op Karl en besloot hem te kus–'
'Het is beter dat we het daar niet meer over hebben, kind.' Geneviève glimlachte vriendelijk. 'Kijk, daar komt onze tweede gang. Ik ben dol op cranberrysalade.'
Mijn wangen werden gloeiendheet. Briljant: tegenover het

raadshoofd beginnen over de actie die me bijna mijn baantje had gekost. Maar ik had alleen de vreemde gevoelens willen beschrijven die ik soms had. Tot mijn opluchting ging Geneviève er niet verder op in.
'Had ik al gezegd dat dit porselein meer dan honderd jaar oud is? Late Qing-dynastie, als ik het goed heb. Uitstekend vakmanschap.'
De spanning viel weg en Geneviève vertelde over de zaal en haar eigen tijd als stand-in. De rest van de maaltijd werd geserveerd, gang na gang, totdat ik wenste dat ik een toga had uitgezocht in plaats van de nauwsluitende jurk.
'Ik kan me niet herinneren dat ik een stand-in ooit zoveel heb zien eten. Of het moet Meredith zijn geweest.'
'Sorry!' Ik slikte. 'Dat hoort zeker niet? Maar het was ook allemaal zo lekker...'
'Je hoeft je niet te verontschuldigen, hoor. Ik heb mijn bord ook leeggegeten.'
'Hoe was Meredith als stand-in?'
'We hebben hier honderden meisjes gehad. Ik herinner me ze lang niet allemaal. Maar Meredith wel.' Geneviève bette haar mond met haar servet. 'Afgezien van haar latere... keuze voor een zekere prins, is Meredith altijd een zeer toegewijde werknemer geweest. Ze is een harde werker en is zich heel bewust van haar MP, dat ze uitstekend onder controle heeft. Ze is een geweldig voorbeeld voor je.'
'Ja. Al zou ik mijn haar niet limoengroen verven.'
'Ik zie het meer als turkooizen. Een prachtige kleur.' Geneviève keek op haar diamanten horloge en stond op. 'Nu we het toch over Meredith hebben: ze vroeg of je naar de Glamour Studio wilde komen. Ik hoop dat je van de maaltijd en het gesprek hebt genoten.'

'Jazeker. Dank u.' Ik stond onhandig op. 'U hebt het geweldig uitgelegd.'
'Je bent bijzonder, Desi. Dat is uiteindelijk wat je moet onthouden. Stand-ins zijn zeldzaam en we waarderen je kwaliteiten zeer. Zonder MP zou je hier niet zitten. Zoals Meredith je waarschijnlijk al heeft verteld, staat mijn verjaardag – helaas – voor de deur en moet ik nog het een en ander regelen. Veel succes met je Niveau-2-avonturen. Ik weet zeker dat je het uitstekend zult doen.'
Ze boog zich naar me toe voor een luchtkus, maar omdat ik dezelfde kant koos, kuste ik haar haren. Aan mijn elegantie moest nog gewerkt worden.
Bosworth begeleidde me naar de hal. Hij zei dat ik de jurk mocht houden en dat ik hem misschien kon gebruiken 'ter inspiratie voor de rest van mijn garderobe'.
Pas toen ik onder aan de trap kwam, besefte ik dat ik Geneviève had vergeten te vragen waar, of zelfs, wát de Glamour Studio was. Ik kwam niemand tegen die me de weg kon wijzen. Misschien moest ik teruggaan en het aan de toeschietelijke Bosworth vragen.
Hoewel... dit was de eerste keer dat ik in het Façade-kantoor was zonder dat iemand me gejaagd ergens heen bracht. Nu ik geen begeleider had, kon ik natuurlijk een beetje 'verdwalen'.
Ik struinde op mijn gemakje door de gangen en las de bordjes onder de kunstvoorwerpen aan de muur. Onder het oog van op wacht staande harnassen liet ik mijn vingers over zwaarden en koninklijke familiewapens glijden. Elke deur die ik passeerde, verschilde in grootte en kleur van de vorige, alsof ik in Alice' konijnenhol was gekropen. Ik durfde ze niet te openen – ik was nieuwsgierig, niet gek – totdat ik bij

een openstaande glazen deur kwam waarin de woorden FAÇADE-REIZEN stonden gegraveerd. Open deur = open uitnodiging.
De deur bood toegang tot een kamer met een leeg bureautje in de hoek. De wanden waren bedekt met foto's van tropische locaties waarboven in grote letters LUXE! en RELAX! te lezen stond. In het midden van de kamer stonden twee smalle banken met een maquette van een prachtig hotel.
Ik hurkte naast het minihotel neer. Bij het hotel lag een zwembad, compleet met rotswanden en verborgen grotten, omringd door twaalf privéhutten. Op de tafel naast het model lag een stapeltje folders. Ik pakte er een af en las hem door.
VAKANTIEOORD FAÇADE: ONS EXCLUSIEVE KONINKLIJKE RUSTOORD.
Het was het antwoord op de vraag die ik mezelf had vergeten te stellen. *Hier vierden de royals vakantie als ze een stand-in nodig hadden.*
Vanzelfsprekend. Een prinses kon niet als zichzelf gaan skiën in de Alpen als een stand-in thuis haar plaats innam. Vandaar dat ze allemaal naar dezelfde plek werden gestuurd. En die plek was...
'Vakantieoord Façade, gelegen in de zuidwesthoek van de Bermudadriehoek: zo exclusief dat behalve onze klanten niemand van het bestaan afweet.'
Façade dacht ook aan alles. Ik glipte de kamer uit en probeerde de weg terug te vinden naar de foyer. Uiteindelijk kwam ik in een hal die me vertrouwd voorkwam. Daar had je de Commandocentrale, waar ik tijdens mijn eerste bezoek mijn handcomputer had gekregen. Recht ertegenover bevond zich een roze deur. Ik nam aan dat het de Gla-

mour Studio was. Ik klopte aan. Toen ik niets hoorde, duwde ik de deur open. Mijn adem stokte in mijn keel. Meredith had me niet voor niets aangestoten toen Lilith die opmerking over eyeliner maakte. Make-up was belangrijk hier. Veel belangrijker dan ik in mijn stoutste dromen had kunnen vermoeden.

6

Door de bespiegelde wanden van de studio was moeilijk te zien waar iets begon of eindigde. Maar ook zonder de weerspiegelingen zouden de eindeloze schappen vol make-up hetzelfde effect hebben gegeven. Overal kleur en glinsteringen van make-up, die was ingedeeld per product: crèmes voor elke huidskleur, nagellak in alle tinten paars, metallic, rood. Kristallen parfumflesjes vingen het warme, gedempte licht. In het zwart geklede vrouwen met kaarsrechte roze bobkapsels draafden heen en weer achter de toonbanken.

Een van de vrouwen depte met een sponsje foundation op Merediths voorhoofd, maar zodra mijn agent met haar vingers knipte, greep de werkneemster naar de poederdoos. Ik voelde mijn voeten wegzakken in het hoogpolige tapijt terwijl ik naar haar toe liep. Toen ze me in spiegel zag aankomen, draaide ze zich met een stralend gezicht om.

'Ik vind het zo leuk mijn stand-ins deze studio te laten zien! Op mijn achtste heb ik eens een reisje naar Bloomingdales in New York gewonnen, maar dat haalde het niet bij onze studio.'

Ik kon me bijna niet voorstellen dat Meredith ooit acht was geweest, of jeugdherinneringen had.

'Nou?' zei Meredith. 'Zeg je nog iets, of ben je sprakeloos?'

'Toen Lilith over die eyeliner begon, wist ik niet dat jullie make-up zo... serieus namen.'
Meredith lachte. 'Hier wordt een kwart van ons inkomen verdiend. Dit is geen gewone make-up. Sommige royals zien er niet voor niets volmaakt uit, terwijl anderen... eh...' ze huiverde even, 'hét voorbeeld zijn van wat het generaties lang aanhouden van een beperkte bloedlijn met je kan doen.'
Ze gebaarde naar de vrouw achter de toonbank, die een make-upsetje met vier soorten oogschaduw, rouge, twee lippenstiften en een poederdoosje pakte. 'Deze beginnersset kost rond de vijftigduizend Amerikaanse dollars.'
Mijn mond viel open. 'Voor make-úp?'
'Voor oogschaduw die er pas af gaat als jij dat wilt, poeder dat kraaienpootjes en poriën onzichtbaar maakt en rouge die je een natuurlijke gloed geeft die van binnenuit lijkt te komen. Overal zit een heel klein beetje van het Egyptische slib in dat ook in onze Royal Rouge zit.'
'Dus jullie gebruiken magie ook voor andere dingen? Voor zoiets als make-úp?'
Meredith klapte het setje dicht. 'We gebruiken het voor hetzelfde doel als waarvoor we de rouge, de zeepbellen, stand-ins en de rest gebruiken: om royals gelukkig te maken. En als royals gelukkig zijn, betalen ze.'
'Dus het gaat om geld.'
'Je kunt magie niet gratis weggeven. Façade is een bedrijf, geen liefdadigheidsinstelling. Maar ze stoppen de beginnersset wel in het voordeelpakket voor onze agenten, inclusief onze favoriete kleur haarverf. Dat is toch aardig, hè?'
Ik keek de studio rond. In de uiterste hoek stond een antieke toonbank. Warm mahoniehout, antieke poederdozen,

ornamenten. Pure glamour. 'Wat is dat?' Ik wees naar een andere kast.
Meredith volgde mijn vinger en wees op een bordje met een cursief opschrift. 'Dat is onze Old Hollywood-lijn. De duurste producten die we hebben.'
Ik pakte een flesje *Some like it hot*-nagellak. 'Wauw! Het perfecte rood.'
'Ik heb liever *Zwanenprinses*-roze.'
'Ben je fan van Grace Kelly?'
'*High Society* is mijn favoriete oude film.' Meredith zuchtte. 'Heerlijke woordgrappen, een driehoeksverhouding, pittige muziek. En Frank Sinatra is toch wel de ideale man.'
Ik zette de nagellak terug. Hoorde ik Meredith – Méredith – zojuist 'ideale man' zeggen? 'Waar wordt deze make-up gemaakt?'
Meredith wees naar een deur achter in de studio. 'In ons lab. Daar werken geniale mensen. Hun nieuwste creatie is het perfecte antifrizz-serum. Werkt wekenlang.'
'Maken ze daar nog meer dan alleen make-up?'
Meredith haalde haar schouders op. 'Ik ben agent, jij stand-in. Het is niet onze afdeling, dus ook niet ons pakkie-an. We kunnen ons beter bezighouden met je voorbereiding op je Niveau-2-klus. Je hebt dit keer veel meer informatie door te nemen, dus ik wil dat je daar de tijd voor neemt. Op naar de zeepbel!'
Eenmaal terug in Merediths zeepbel gebaarde ze me te gaan zitten. 'Ik moet even een paar mensen bellen. We hoeven niet ver te reizen, dus ik laat de zeepbel zweven totdat jij de instructies hebt doorgenomen.'
Toen Meredith zich in haar kantoortje had teruggetrokken, leunde ik achterover in de stoel en staarde naar het plafond.

Kroonlijsten... ook nieuw. Kroonlijsten? Wat konden mij die kroonlijsten schelen. Dit was de mooiste dag van mijn leven geweest! Zou ik hier echt ooit aan wennen? Per slot van rekening had ik al eerder voor Façade gewerkt, en toch had ik bij alles wat ik leerde nog altijd het gevoel dat ik niks wist. Hoe ver zou de macht van mijn werkgever reiken? Gelukkig zag het profiel van de prinses er vertrouwd uit...

Prinses Millie (Mildred. Maar wie wil er nu Mildred genoemd worden?)
Leeftijd: 13
Woonplaats: Leichemburg (maar ik reis nu met tante Oksana door Europa. En dat al héééél erg lang.)
Lievelingsboek: *Oorlog en vrede*. Ik heb het nog niet gelezen. Maar gewoon, omdat het zo'n lekker dik boek is.
Lievelingseten: Vanillecakejes met paarse hagelslag
Aanvullende informatie: Hoi, ik ben Millie! Je hebt waarschijnlijk wel eens van mij gehoord – niet om op te scheppen, hoor, maar omdat ik van koninklijke bloede ben en ik vermoed dat jij alles van ons weet, want anders zou je dit werk niet kunnen doen. Dus sorry als ik iets dubbel vertel. Jij bent namelijk pas mijn tweede stand-in. Ik ben twee maanden geleden dertien geworden, en als er íéts goed uitkomt, is het deze vakantie.
Het is de bedoeling dat ik met mijn oudtante Oksana, hertogin van Leichemburg, naar een of andere kunstexpositie ga. Dat soort sociale bijeenkomsten vindt ze superbelangrijk, dus ik weet zeker dat ze me zal vermóórden als ze merkt dat ik een stand-in heb ingeschakeld. Je moet dus echt heel goed zijn, oké?

De expositie zelf wordt volgens mij wel cool. Het is een gekostumeerd bal, waarvoor ik een prachtige jurk heb laten maken. Niks te danken! Ik vind het eigenlijk wel jammer dat ik het moet missen, maar toen ik hoorde dat hertog van Nortenberg met zijn zoon naar de expositie komt, schrok ik me dóód. Ik heb twee jaar geleden op kostschool ruzie gehad met een zekere Lynette, die denkt dat ze meer is dan een ander omdat haar vader een eiland bezit. Hallo zeg! Ik ben wel de negende in lijn voor de troonopvolging in mijn land.
Dat gemene kreng heeft dus tegen graaf Gavin gezegd dat IK OP HEM BEN. Ik weet niet of je graaf Gavin kent, maar hij is ábsólúút niet mijn type. En alsof dat nog niet erg genoeg was – ik bedoel, ik moet er niet aan denken dat ik verliefd op hem zou zijn! – vertelt hij ook nog aan iedereen dat:
a. Ik verliefd op hem ben
b. Hij me helemaal niet leuk vindt
c. Ik mijn familierelaties gebruik om een afspraakje te regelen.
Zoiets afschuwelijks heb ik nog NOOIT meegemaakt. Echt nog nooit! Ik heb mijn ouders gesmeekt me een tijdje van school te halen en me met tante Oksana te laten reizen totdat iedereen het vergeten is. Je snapt dat ik NOOIT meer met die stommerik wil praten.
Ik wil dat je twee dingen voor me doet. Eén, mij zijn. Ik bedoel, zoveel mogelijk mij zijn als je kunt, zodat mijn tante geen argwaan krijgt. Want die krijgt ze toch. Dat mens kan vanaf een kilometer zien of iemand een tiara van nep-diamant draagt. Lees dit allemaal goed, dan weet je wie ik ben. En praat dus niet met Gavin als je hem tegenkomt. Geen woord, denk erom! Dat gun ik hem niet. Oké, knikken

mag. Een beetje mompelen ook, maar ik heb liever dat je bij hem uit de buurt blijft.
Ik heb een formulier gekregen dat ik moest invullen. Maar ik wist niet zeker of het wel genoeg zou zijn, dus ik heb nog wat meer dingen voor je opgeschreven. Fijn, hè? Hoe meer je weet, hoe beter. Zo is het toch?

Er volgden nog twintig pagina's met alles, en dan bedoel ik ook echt *alles* wat ik over Millie zou moeten weten. Over haar school, de namen van haar vriendinnen, haar familiegeschiedenis, de muziek die ze op haar laatste vioolconcert heeft gespeeld, dat ze van toast met boter houdt...
De Niveau-1-prinsessen hadden me maar een beetje informatie gegeven om me op hun situatie voor te bereiden. Dit was precies het tegenovergestelde: ik kreeg zo veel informatie dat ik nauwelijks meer wist wat belangrijk was. Tot mijn opluchting had mijn handcomputer een markeerstift waarmee ik de belangrijkste informatie kon aangeven. Als ik die dan meenam, kon ik opzoeken hoe Millie haar vlees het liefst at (medium gebakken, geen rood in het midden!) of hoe haar ooms heetten (Hanover, Ulysses en... Greg? Nee, Craig.)
Nadat ik nog een uur Millies favoriete schoenontwerpers uit mijn hoofd had geleerd, kon er geen informatie meer bij. Ik keek nog even in de chatrooms, maar ook daar kreeg ik opnieuw een berg aan details en feiten over me heen.
Ik hoefde haar favoriete dierentuindier niet te weten om de boodschap – laat alles zoals het is! – te begrijpen. Tijdens mijn vorige klussen had ik zoveel mogelijk geprobeerd de geheime wensen van mijn prinsessen te vervullen. Maar Millie wilde niet dat ik haar zus een lesje leerde of een vriendje voor haar regelde. Ze wilde juist zoveel

mogelijk Millie blijven, tot en met haar lievelingsdrankje.
Ik haalde mijn Royal Rouge-poederdoos tevoorschijn en glimlachte naar mijn spiegelbeeld. Ik was doodmoe van het uit mijn hoofd leren van alle details, maar vond veel informatie bij nader inzien toch prettiger dan niet te weten wat me te wachten stond. Dit klusje kwam in de buurt van wat ik van mijn baantje als stand-in had verwacht, en dat was omgaan met belangrijke mensen. Zoals in *Roman Holiday*, waarin Audrey Hepburn een prinses speelt die het handjes schudden op recepties zo beu is dat ze haar schoenen uittrekt en bijna struikelt. Grappig, maar geen ramp.
Ik stond op, rekte me uit en wilde net Meredith roepen toen ik zag dat haar deur op een kier stond. Ik sloot mijn mond weer. De verleiding om haar af te luisteren was te groot. Ik sloop naar de deur en bleef er net ver genoeg vandaan staan om haar gedempte stem te kunnen opvangen.
'...stand-in is over een paar minuten weg. Over een uur heb ik pauze, dus... wie weet. Misschien kan ik even weg.'
Ze grinnikte. Toen hoorde ik haar fluisteren en kon ik haar niet meer verstaan. Weer lachte ze, en toen zei ze iets luider: 'Dat weet je toch. Ik hoop alleen dat het kan. Je bent zo lief als je iets van me wilt. Tuurlijk... oké... tot gauw.'
Ik vloog terug naar de bank, griste mijn handcomputer van de leuning en toverde een verveelde blik op mijn gezicht. Dus Meredith had weer contact met haar prins! Ik wist dat het kon, maar... hoe kreeg ze het voor elkaar? Nu begreep ik ook waarom ze niet meer zo chagrijnig was als toen ik haar net leerde kennen. Ik moest en zou er alles aan doen om haar in een zen-toestand te brengen.
Meredith opende de deur en schraapte haar keel. 'Ben je zover?'

‘Wat?’ Ik keek op van mijn handcomputer. ‘Eh, ja hoor.’
‘Mooi.’ Ze drukte een knopje op haar afstandsbediening in en de zeepbel begon te brommen. ‘Sorry, maar ik had even een vertrouwelijk telefoontje.’
Ik onderdrukte mijn neiging om te glimlachen. ‘Geen probleem.’
‘Heb je alles over haar gelezen? Je rouge aangebracht?’ vroeg ze.
‘Ja, een paar minuten geleden, dus over tien minuten ben ik Millies dubbelganger.’
‘Oké, barst maar los. Je zult me wel weer het hemd van het lijf willen vragen.’
‘Dit keer niet.’
Meredith legde haar hand op mijn voorhoofd. ‘Meen je dat? Voel je je wel lekker? Weet je zeker dat jij het bent daarbinnen?’
‘Haha.’
‘Nou, schat, succes dan maar.’
‘Maar we zijn nog maar net vertrokken.’
‘Het was niet ver. O ja, en mocht je tijd overhebben, ga dan wel even naar de *Mona Lisa* kijken. Ze heeft ooit voor ons gewerkt... Vandaar dat geheimzinnige lachje.’
Ik stapte de regenachtige nacht in, tegenover een grote glazen piramide die werd omringd door een adembenemend fort. Ik had het gebouw vaak in films gezien en wist meteen waar ik was. Bij het Louvre. Millies kunstexpositie was in het Louvre in Parijs.
O, mijn god. Meredith had niet gelogen. Ik was dan in de buurt van Façades hoofdkwartier, maar mijlenver van Sproutville verwijderd.

7

Ik bleef voor de doorzichtige piramide staan en wachtte totdat ik in prinses Millie was veranderd.
Millie was klein en broodmager, maar ze had de lange, elegante vingers van een violiste. Mijn zwarte jurkje werd een kobaltblauw kostuum, dat strak om mijn borst en taille spande en uitliep in meters stof. Nee, 'strak' is het woord niet. Verstikkend. De adem benemend: bij elke inademing voelde ik het lijfje in mijn ribben snijden.
Ai, ik droeg een korset! Wie droeg er vandaag de dag nog een korset? Om nog maar te zwijgen van het kant. Lieve hemel, wat een hoop kant. Ik voelde aan mijn haar: een hoog opgestoken, witgepoederde pruik. Zonder tiara. Dat was me tot nu toe nog niet gegund.
Ik had nooit gedacht dat ik mijn moeder nog eens dankbaar zou zijn voor de miss-workshop die ze me samen met Celeste had laten doen. We droegen 10 centimeter hoge hakken en veel te strakke jurken, waarmee we heen en weer door de kamer wankelden totdat de blaren op onze voeten stonden. Volgens mijn moeder was je in dergelijke kleding met een zelfverzekerde houding op alles voorbereid. En gelijk had ze. Zelfs in dit hoepelgewaad met korset schreed ik naar de top van de doorzichtige piramide, die verlaten was op twee veiligheidsbeambten na.

Een van de twee knikte naar me. 'Genoeg frisse lucht geschept, Uwe Hoogheid?'
Slimme Millie. 'Ja, hoor. Ik snap niet hoe mijn voorouders het in zo'n korset uithielden!'
'Uw tante wacht onder aan de trap op u.'
Met een wiebelend hoofd van de zware pruik daalde ik de wenteltrap af. De enorme foyer was leeg en warm verlicht, maar vanuit de Sully-vleugel klonken muziek en stemmen. Aan de voet van de trap wachtte een ongeduldige oude vrouw met een hautaine blik me op.
Ze droeg rode lippenstift en haar diepe frons benadrukte haar miljoenen rimpels. Haar gezicht, dat ongetwijfeld ooit beeldschoon was geweest, had iets scherps en vogelachtigs. Het vogelmotief werd nog eens versterkt door de veren in haar witte pruik. Maar ze had heldere, intelligente bruine ogen waarmee ze me doordringend aankeek. 'Millie, ik word niet graag opgehouden.'
'Sorry, tante Oksana.'
'Zeg tegen je land dat het je spijt. Je vertegenwoordigt je volk elke minuut van je bestaan.'
Ze had een subtiel accent, verfijnd en zorgvuldig.
Ik rechtte mijn rug. 'Ja. Natuurlijk.'
Tante Oksana leunde op mijn arm terwijl we naar de expositiehal liepen. Een strijkkwartet speelde Bachs 'Menuet in G-major'. Ik hield persoonlijk meer van Händel, maar Bach kon er natuurlijk ook wel wat van. Moet je mij horen. Kwam al die uren klassieke muziek luisteren toch goed van pas. Nu maar hopen dat ik aan die passieve kennis genoeg had en niet op een instrument hoefde te spelen. Stel dat het glazen dak van de piramide door mijn vioolspel op de gasten terecht zou komen; dat zou niet best staan in mijn PVR,

ofwel Prinsesselijk Voortgangs Rapport, waarin de prinses na de klus vertelt wat ze van de stand-in vond.
De gasten droegen dezelfde kledingstijl als mijn tante en ik. Ik wist uit mijn research dat het de achttiende-eeuwse barokstijl was, waarschijnlijk van rond de tijd van Marie-Antoinette. Onze pruiken kwamen ook uit die tijd. De reusachtige taart op de desserttafel – een knipoog naar Marie-Antoinettes opmerking dat het volk maar taart moest eten als ze geen brood hadden – bevestigde mijn vermoeden. Vreemd. Per slot van rekening waren we in Parijs, waar de Franse Revolutie had plaatsgevonden. Waarom zou je met royals de tijd vieren dat de monarchie werd áfgeschaft?
Er kwam een man op tante Oksana af die met een fladderige armzwaai een buiging voor haar maakte. 'Hartelijk dank voor uw komst, Uwe Hoogheid. Hebt u de expositie al kunnen bekijken?'
'We zijn net aangekomen. Millie, dit is de kunstschilder Christian Mercier.'
Ik maakte een knikje met mijn hoofd. Geen buiging. Per slot van rekening was ik van koninklijken bloede.
'Het zou een eer zijn u persoonlijk mijn werk te kunnen laten zien, Uwe Hoogheid,' zei Christian.
'Zo u wilt.'
We liepen met Christian langs de champagne nippende gasten. De kunst hing in een donkere zaal, waar op elk schilderij een rood spotje was gericht. De werken leken sterk op elkaar: rode vlakken en lijnen op witte doeken in weelderige gouden lijsten. (Barokstijl! Vertel mij wat!)
Tante Oksana haalde een vlinderbril uit haar handtas en tuurde naar de schilderijen. 'Bijzondere contrastwerking. Prachtige kleurschakering ook. Fellere kleuren zouden een

schreeuwerig effect hebben gegeven. Toch komt de boodschap ietwat geforceerd over.'
Christian bloosde. 'Dat is ook de bedoeling, Uwe Hoogheid.'
'Hmm.' Tante Oksana keek me van opzij aan. 'Wat vind jij, Millie?'
Mijn hart sloeg over. Hier had ik al die boeken voor doorgeworsteld. Iedereen kon in een baljurk rondlopen, vooral als die baljurk het resultaat was van Royal Rouge. Nu moest ik alles wat ik afgelopen zomer had geleerd combineren met de informatie die Millie me had gegeven.
Ik bestudeerde de schilderijen. De lijsten waren symbolisch voor de extravagantie van koning Lodewijk XVI en contrasteerden met de sobere doeken. Wat wilde hij ermee uitdrukken? Woede? De eenvoud van de gewone man? Eh... vrijheid? Wat ik er ook over zou zeggen, het zou intelligent genoeg overkomen. Maar Millie leek me niet het type dat met metaforen strooide, hoe goed opgeleid ze ook mocht zijn. En ik wist dat ze zenuwachtig werd van haar tante (anders ik wel – tante Oksana kon elk moment met haar snavel op me in pikken), dus zelfs op haar beste momenten kon Millie niet zoiets bedenken.
Maar behalve de maat van haar ring en de bekentenis dat ze niet van sinaasappels hield, had ik ook gelezen dat haar favoriete vorm de cirkel was.
'Ik denk dat de kleur goed is gekozen. Als het rozer was geweest, zou het... niet zo sterk overkomen. En ik vind de cirkel op dat schilderij daar mooi.' Ik wees op het schilderij in de hoek van de zaal. 'Ik voel... ik vóél,' zei ik onnozel.
Tante Oksana keek me lang aan en wendde zich toen tot Christian. 'Ik ben het met haar eens. Roze zou een ramp

zijn geweest. Ik zou graag die met de cirkel willen kopen voor mijn nichtje. En die met die verfstreep in het midden. De verticale natuurlijk, niet de horizontale.'
'Geweldig.' Christian straalde. 'Ik zal het aan de curator doorgeven. Het betekent veel voor mij dat de werken u aanspreken. Maar zou u me een ogenblik willen verontschuldigen? Ik zie dat mijn vrouw is gearriveerd. Ze zal u beiden willen ontmoeten.'
Christian draafde weg. Ik wilde mijn vuist triomfantelijk in de lucht steken. Mijn eerste Niveau-2-hobbel was genomen! De extra klantinformatie maakte de klus bijna makkelijker dan de raadspelletjes op Niveau 1.
Tante Oksana wreef over haar reumaknokkels. 'Hij komt in de rechtervleugel te hangen. Derde gang... mooi bij de Degas.'
'Bedankt voor het schilderij,' zei ik.
Tante Oksana draaide zich om en liep met me door de zaal terug naar het feest. 'Ik heb je al vaker gezegd dat het belangrijk is dat je op jonge leeftijd met je verzameling begint. Als je wat ouder bent, zal dit werk je op een andere manier aanspreken. Dat heb ik altijd heel bijzonder gevonden.'
'Ja.'
'Wat ben je stil vanavond.'
Oeps. Door het zenuwslopende gesprek over kunst had ik iets belangrijks vergeten: als ik Millies biografie mocht geloven, stond haar mond niet stil. Ik glimlachte flauwtjes. 'Het komt door het korset. Het spijt me.'
'Ik heb dit liever. Normaal praat je me de oren van het hoofd. Zorg wel dat je netjes met de andere gasten converseert. Een strak korset heeft je voorouders daar nooit van weerhouden. Begin maar met het bedanken van de hertog

van Nortenberg en zijn zoon Gavin. Zijn vrouw heeft ons een prachtige kristallen vaas gestuurd, uit de negentiende eeuw, als ik het goed heb.'
Ho. Hoogste alarmfase. Er waren me twee dingen opgedragen. De ene was zo Millie-achtig mogelijk over te komen, zodat tante Oksana geen argwaan zou krijgen. Millie praatte aan één stuk door. Mijn andere opdracht was de blonde jongen met de slome ogen, die een maillot en een lavendelkleurige knickerbocker droeg, en nu met zijn vader op ons af kwam, te ontlopen. Twee compleet tegenovergestelde opdrachten.
'Hertog William. U herinnert zich mijn nichtje, Millie?'
De hertog boog. 'Natuurlijk, Uwe Hoogheid. Ik meen dat ze samen met mijn zoon op school heeft gezeten.'
'Hoi, Millie,' zei Gavin verveeld.
'Hallo, Gavin,' antwoordde ik op dezelfde toon. Twee woorden. Hopelijk zou Millie me voor die twee woorden geen slecht PVR geven.
Tante Oksana keek me boos aan. 'Millie zei net tegen me dat ze zo blij was met jullie mooie cadeau.'
Tegen hertog William mocht ik wel praten. Ik draaide me naar hem toe, zodat duidelijk was tegen wie ik sprak. 'Ja, het is een prachtige vaas.' Ik zweeg even en riep Millies profiel in mijn herinnering. Praat veel en snel. 'Hij staat in onze salon. Als het licht erop valt, weerkaatsen er van die heel mooie regenboogkleuren op de muur. Ik ben dol op regenbogen, u? Ik had als kind een jurk waar al die kleuren...'
'Toe, Millie,' berispte tante Oksana me. 'Laten we de hertog niet met onnodige details vermoeien.'
De hertog grinnikte. 'Ik heb gehoord dat u nogal een... hoe zeggen ze dat... spraakwaterval bent, Uwe Hoogheid. En nu

ik weet dat u ons fijne kristal mooi vindt, zal ik daar in de toekomst rekening mee houden.'
'Dat is bijzonder aardig van u, hertog William,' zei tante Oksana. 'Wat denkt u, zullen we de jeugd maar alleen laten? Ze hebben vast van alles te bespreken en ik zou u graag mijn nieuwe schilderijen laten zien.'
Hertog William leidde tante weg. Gavin wreef over zijn neusbrug en geeuwde.
Ai! De alarmbellen gingen weer af in mijn hoofd. Het was me gelukt me als een kletskous te gedragen zonder tegen Gavin te praten, maar nu was ik met hem alleen. Millie had in haar profiel duidelijk aangegeven wat ze van me verwachtte en ik wilde het goed doen. Zeg niets. Zeg niets. Zeg nie–'
'Ik hoorde dat je vrij had genomen van school om een wereldreis te maken,' zei Gavin.
Ik haalde onverschillig mijn schouders op.
Gavin krabde aan zijn kin. 'Ik word soms zo moe van al dat gereis. Musea zijn meestal doodsaai. Net als kloosters, kastelen en wijngaarden. En dat mijn familie een grote collectie Renoirs heeft, wil toch niet zeggen dat ik ze ook allemaal moet zíén? Als je één oud schilderij hebt gezien, heb je ze allemaal gezien. Zo is het toch?'
Ik schoof mijn pruik recht. Geneviève had gezegd dat mijn magie krachtiger zou worden als ik me goed wist in te leven. Had ik in mijn binnenste misschien een knop die ik kon omdraaien? Of moest ik zelf uitzoeken welke emotie of karaktereigenschap ik het beste kon aanspreken? Als het verveling was, zou de magie me nu mijn oren uit moeten komen... Gavin kletste maar door!
'Ik ben deze zomer in Griekenland geweest. Goede keuken

hebben ze daar. Niet te vergelijken natuurlijk met de kuststeden van Italië, maar dat is ook de beste keuken ter wereld. Ik heb ooit een goddelijke ham op Sicilië gegeten. Zoals dat vet verdeeld was...'

Lieve help. Dit zou het perfecte moment zijn om mijn magie zijn werk te laten doen. Zap die jongen alsjebliéft weg. Hup... weg. ZAP.

Geen wonder dat Millie zich ergerde aan het feit dat Gavin dacht dat ze op hem was. Ik zou hem het liefst toeschreeuwen dat hij iemand anders met zijn opschepperij moest gaan vervelen, maar ik mocht niets.

'...en toen zei ik, al was je graaf van het universum, dan nog wil ik revanche!' Hij barstte in lachen uit en sloeg zich op zijn knieën.

Ik glimlachte flauwtjes en keek om me heen of ik weg kon komen. Formeel gesproken deed ik alles volgens de opdracht. Ik had nog steeds niets gezegd. Maar ik kon me voorstellen dat hij op een gegeven moment toch een reactie van me verwachtte. Ik moest weg zien te komen.

'Ik dacht dat jij een enorme kletskous was, maar dat valt reuze mee. Lynette zei dat je een beetje verliefd op me bent. Als we wat meer met elkaar omgaan kan er misschien iets... opbloeien.'

Ik verstijfde. Wie was hier de kletskous? Hij wilde dat ik zweeg omdat hij zichzelf zo graag hoorde praten. Maar ik had de opdracht gekregen mijn mond te houden. Wat nu?

'Eh...'

Hij keek me verwachtingsvol aan, alsof Millie popelde iets met hem te ondernemen. Maar ik sprong nog liever van een brug.

Hier had het BEST-programma me niet op voorbereid. Maar

hoe vervelend ik het ook vond te moeten toegeven, er was wel iemand die me tijdens mijn Niveau-1-training had klaargestoomd voor dit soort situaties: Lilith.
Sterker nog, deze situatie hád ik met Lilith geoefend! Een museum met een oudtante. Wist ze destijds al dat ik hier zou zijn?
Nee, natuurlijk niet. De strategie die ze me toen had geleerd, was overal toe te passen. Ook nu.
Moest ik hem mijn juwelen laten zien? Nee, dat interesseerde hem niet.
Het over een andere boeg gooien? Dan zou hij over iets anders doorkletsen.
Pseudokroep! Bingo.
Ik aarzelde. Op Niveau 1 had ik mijn uiterste best gedaan mijn prinsessen te helpen. Daarbij had ik me op Merediths advies door mijn MP laten leiden, ook wanneer mijn oplossingen niet pasten bij het karakter van de prinses. Nu deed ik wat Lilith me had geleerd: ik werd Millie. Helemaal. Ik moest Millie uit deze situatie redden zoals zij dat zélf zou hebben gedaan.
Ik greep naar mijn keel en zette een hese stem op. ‘Pijn.’
Gavin deinsde achteruit. ‘Je wordt toch niet ziek, hè? Ik moet morgen een toespraak houden in een weeshuis waaraan mijn familie een smak geld heeft gedoneerd. Die schooiertjes mogen blij zijn, want het gaat echt om héél veel geld. Niet té veel natuurlijk, maar genoeg om erkenning voor te krijgen. Weeshuizen zijn eigenlijk uit, maar zodra ik de leiding krijg over het familiekapitaal, ga ik me toeleggen op...’
Ik wees op mijn keel. ‘Water.’ Ik haastte me naar de bar om een glas water te bestellen. Het leek alsof ik als stand-in

altijd maar op vlucht sloeg. Gavin keek me vanaf de andere kant van de zaal verbouwereerd na. Kennelijk begreep hij niet dat iemand die zo gek op hem was hem zomaar aan zijn lot overliet. Ik hief mijn glas op naar hem. Zie je wel? Kan niet praten. Moet drinken.
Het orkest zette een wals in en stelletjes vulden de dansvloer. Toen ik Gavin mijn kant op zag komen, verslikte ik me bijna in mijn water. Het zweet prikte op mijn rug. Van mijn korset? Ik nam nog een slok water, zocht even steun tegen de tafel en liep toen door naar het damestoilet. Maar net voordat ik naar binnen wilde glippen, werd ik om de hals gevlogen door een meisje in een gele jurk. Ze was van mijn leeftijd en had pijpenkrullen.
'Millie! Waar was je? Wat een leuke jurk heb je aan! Hoe vind je de mijne? Ik hoop dat het korset weer in de mode komt en dat deze pruiken ook... Hé, stond je net met Gavin te praten? Is het waar dat je verliefd op hem bent?'
Ik schudde mijn hoofd en wees op mijn keel, blij dat ik al een smoes had verzonnen. 'Kan niet praten. Pseudokroep.'
'Luister dan alleen maar. Heb je gehoord wie er vanavond komt? Prinses Elsa. Ze is de prinses uit dat land dat niet meer bestaat sinds... O, ik ben vergeten welke oorlog dat ook alweer was. Maar ze is wel een prinses. Haar grootmoeder heeft alle royals hier wel eens tegen zich in het harnas gejaagd. En de rest. Weet je wie ik bedoel?'
'Hmm...' Ik staarde naar het plafond alsof ik me haar naam probeerde te herinneren, maar ik had kriebels in mijn buik. Elsa? Hier? Zou ik hier een ex-klant tegen het lijf lopen? Dat zou wel heel raar zijn. En stel dat Karl er ook bij was...
STEL DAT KARL ER OOK BIJ WAS?
'Daar is ze.' Het meisje knikte discreet naar Elsa. Ze droeg

een staalgrijze empirejurk met een hoge taille en had haar blonde haar opgestoken in een losse knot. Tot mijn teleurstelling zag ik dat ze alleen was. Nee, het was beter zo. Een driehoeksverhouding maakte het er niet makkelijker op. Oké, toegegeven, Karl had geen idee dat ik bestond, dus het was eigenlijk een liefdes... lijn.

'Ik snap niet dat ze hier is. Ze is heel mooi, maar ik weet niet of ík naar een feest zou gaan als ik zo'n grootmoeder zou hebben. Is dat nou dapper van haar of dom?'

'Ze is niet dom,' zei ik.

'Ik dacht dat je pijn aan je keel had?' Miss Pijpenkrul keek me met een frons aan. 'Hoe weet jij dat trouwens?'

Ik kuchte en probeerde schor te klinken. 'Ze lijkt me gewoon wel aardig.'

Vanuit mijn ooghoek zag ik Gavin aankomen. Pijpenkrul stond nog steeds voor de wc-deur. Ik kon geen kant op.

Hij maakte een buiging. 'Dames.'

Pijpenkrul grinnikte. Ik slikte.

'Millie, kan ik je een plezier doen door met je te dansen?'

Geweldig. Ik klopte op mijn keel. Hij schudde zijn hoofd. 'De weeskinderen hebben pech als ik ziek word. Wij gaan vanavond dansen!'

8

Gavin pakte me bij de hand en leidde me naar de dansvloer. Zoals bijna alles van uit de tijd net voor de Franse Revolutie, heeft het menuet iets nuffigs. Veel slome pirouetten, buigingen en getrippel op de tenen. Niks mannelijks aan, dus het was bijna lachwekkend om Gavin met opgeblazen borst in zijn afschuwelijke pofbroek (met kant. Kánt!) rond te zien huppelen.
Ik probeerde me te concentreren op de pasjes die ik in de zomervakantie had geoefend. Dat lukte redelijk, totdat ik Elsa in het midden van de vloer voorbij zag komen dansen. Ik vond het moeilijk niet naar haar te kijken, omdat ik zelf een tijdje Elsa was geweest, maar hopelijk viel het niet op omdat iederéén in de zaal naar haar keek. Ze danste heel soepel, alsof ze regelmatig in koninklijke kringen verkeerde en niet de hele zomer geiten had gemolken.
Toen ze merkte dat ik naar haar staarde, hadden we even oogcontact. Elsa kneep haar ogen samen, alsof ze zich mijn gezicht probeerde te herinneren. Haar blik zou me geen zorgen hoeven baren; per slot van rekening zag ze niet mij, maar Millie. Maar op een of andere vreemde manier waren we met elkaar verbonden. Misschien voelde zij dat ook.
Mijn jurk maakte het er allemaal niet makkelijker op. Ik zag er dan misschien uit als Millie, vanbinnen was ik nog steeds

Desi. De hartige maaltijd die ik van Geneviève had gehad, lag me door het strakke korset zwaar op de maag. En Gavin zweette. Hij stonk als een jachthond die verstrikt was geraakt in een nylon net. En had ik al gezegd dat hij kant aan zijn broek had?

Gelukkig hield de muziek op dat moment op. Ik draaide me om om ervandoor te gaan.

'Nog een dans?' vroeg Gavin met een stralende blik.

Ik probeerde me los te maken uit zijn stevige greep. 'Ik moet naar mijn tante toe.'

'Maar wanneer kun je weer met me dansen?'

'Hopelijk nooit.'

'Wat zei je?'

'O, eh, hopelijk hoeven we nooit te stoppen.'

De volgende dans begon. Dit keer was het een bourree, met veel snellere en levendigere passen. Ik werd omringd door glitter en geluid en voelde me net Donna Reed in *It's a Wonderful Life*, maar dan in kleur. Geen gewone kleuren, maar felle kleuren, waar ik zo duizelig van werd dat ik stond te tollen op mijn benen.

De kleuren vervaagden en werden toen zwart. Dit voelde niet goed. Hélemáál niet goed. Ik keek geschrokken om me heen en maakte weer oogcontact met Elsa. Ze maakte zich van haar partner los, vloog op me af en vloog me om de hals. Nee, ze deed alsóf ze me om de hals vloog. Ze voorkwam dat ik viel.

'Het spijt me dat ik jullie dans verstoor, maar ik ben ook zo blij je weer te zien!'

Ik had het te druk met ademhalen om Elsa te vragen waar ze Millie in hemelsnaam van kende. Het was immers Elsa's eerste koninklijke feest en Miss Pijpenkrul had min of meer

gezegd dat Elsa en Millie in totaal verschillende kringen verkeerden.
'Eh, ik ook?'
'Mag ik even met haar dansen?' vroeg ze aan Gavin. 'Het is zo lang geleden en ik móét nog vanavond met haar praten.'
Gavin gaf eerst geen antwoord, waarschijnlijk omdat hij Elsa met open mond aanstaarde. 'Eh... natuurlijk. Ik kan me niet herinneren dat wíj al eens eerder aan elkaar zijn voorgesteld.' Hij maakte een buiging. 'Ik ben graaf Gavin.'
Elsa gaf een koninklijk knikje. 'Aangenaam, Hooggeboren Heer. Ik ben prinses Elsa van Holdenzastein.'
'Het is me een genoegen u te ontmoeten, prinses. Een groot genoegen.' Gavin grinnikte.
Ik onderdrukte een lach. Ik wou dat ik Kylee over deze clown kon vertellen.
'Maar wilt u ons nu excuseren?' Elsa gaf me een kneepje in mijn elleboog. 'Ik breng haar zo terug.'
We baanden ons een weg door de gasten naar de museumhal, waar we op een bankje gingen zitten. Sterren fonkelden boven de driehoekige ruiten van de piramide.
'Ik hoop dat je me niet brutaal vindt, maar ik had de indruk dat je hulp nodig had. Wacht, ik haal eerst even een glas water voor je.' Elsa liep weg en kwam terug met een groot glas water. Toen ik het op had, zei ze: 'Ik ben Elsa.'
Ze kenden elkaar dus niet. Ik depte mijn voorhoofd met Millies kanten zakdoekje. 'Millie. Prinses Millie.'
Elsa bloosde. 'Het spijt me. Ik ben niet gewend aan titels. De royals met wie ik omga, noem ik gewoon bij de voornaam.'
De royals met wie ik omga. Prins Karl. Er ging een steek door mijn hart. Ik dwong mezelf tot een glimlach. 'Je hebt me gered. Je mag me noemen zoals je wilt.'

'Voel je je alweer wat beter?'
'Ja. Korsetten.'
'Domste uitvinding ooit. Ik heb valsgespeeld en een jurk van begin negentiende eeuw aangedaan.'
'Prachtige jurk trouwens.'
Ze liet haar hand over de jurk gaan. 'Dank je. Mijn oma heeft hem voor me gemaakt. Maar als iemand naar de ontwerper vraagt, dan verzin ik gewoon een Frans klinkende naam.'
Ik lachte. Ik mocht haar wel. Ze was precies zoals ik haar uit haar dagboek kende: nuchter. Wel grappiger dan ik had gedacht. Assertiever ook.
'En wie zijn de royals in jouw leven? Leuke... jongens?' vroeg ik. Ik wist wat ze zou antwoorden. Ik wist dat het me pijn zou doen. Maar ik móést het vragen.
'O, gewoon familie.' Elsa klonk op haar hoede. 'Dit is een van mijn eerste feesten.'
Was mijn vraag te persoonlijk? Ik wilde dat Elsa zich in mijn bijzijn op haar gemak voelde. In het bijzijn van Millie. Ondanks het leeftijdsverschil van twee jaar, kon ik me voorstellen dat ze vriendinnen zouden kunnen worden. En dus deed ik waar Millie goed in was. Ik begon te kletsen. 'Ik reis samen met mijn tante de wereld rond. Ze zorgt altijd voor een vol programma. Dat is leuk, maar soms heb ik er wel even genoeg van. Je moet altijd maar glimlachen en aardig zijn. En sommige mensen zijn... nou ja, je hebt graaf Gavin ontmoet.'
'Hij is vast aardig, maar...' Elsa huiverde. 'Dat kant aan zijn broek vind ik verschrikkelijk.'
'Ik kende hem al van school. Een klasgenoot van mij had tegen hem gezegd dat ik verliefd op hem ben, dus dat heeft

hij rondgebazuind. Hij voelt zich duidelijk verheven boven... sorry.' Zo, laat dat kletsen maar aan mij over. 'Het is een lang verhaal.'
'Geeft niet. Ik vind het wel fijn even alleen maar te luisteren. Ik voel me vanavond erg bekeken omdat dit min of meer mijn debuut is. Het lijkt bijna of het niet echt is. Begrijp je wat ik bedoel? Alsof ik me voordoe als iemand anders. Heb jij dat ook wel eens?'
Dat was mijn werk. 'Dat hebben wij allemaal, denk ik. We moeten ons altijd zo belangrijk voordoen. Maar gelukkig hoef ik nu niet meer zogenaamd aandachtig naar Gavin te luisteren. Bedankt.'
'Als ik een keer in zo'n situatie zit, mag jij mij helpen.' Elsa sprong op van de bank. 'Nou, ik moet me weer belangrijk gaan voordoen. Ik moet een vijand van mijn grootmoeder zien te sussen. Hopelijk komen we elkaar nog eens tegen, prinses Millie.'
Elsa mengde zich weer glimlachend tussen de gasten en voerde gesprekken alsof ze nooit anders had gedaan. Ik vond tante Oksana en bleef de laatste paar uurtjes van het feest in haar buurt en babbelde tegen haar vriendinnen over de meest onbenullige zaken. (Sperziebonen zijn véél lekkerder dan erwtjes!) Doodmoe van het korset en het kletsen, barstte ik van opluchting bijna in tranen uit toen in de lift, op weg naar onze suite, mijn poederdoostimer afging.
'Wat was dat voor een geluid?' vroeg tante Oksana, die naast me stond.
De timer was nauwelijks te horen. Hij trilde alleen maar een beetje. Oude mensen hoorden toch slecht?
'Ik hoorde niks.' Ik drukte mijn tasje tegen me aan. 'Misschien was het mijn jurk. Die ruist soms een beetje.'

De liftdeur zoefde open. Haar bodyguard gaf tante een hand en hielp haar uit de lift. Ik rende naar de deur van haar penthouse-suite, de enige kamer op de verdieping.
'Niet zo ongeduldig,' mopperde ze terwijl de bodyguard de sleutel in het slot stak. 'Een dame rent niet.'
Ik voelde dat het korset losser ging zitten. Dat betekende dat de rouge uitgewerkt raakte. De klok had twaalf uur geslagen. Ik moest maken dat ik wegkwam, voordat tante Oksana me in een pompoen zag stappen.
'Ik moet... ik ga nog even naar de wc op mijn kamer,' zei ik.
Tante Oksana haalde afkeurend haar neus op. 'Lieve hemel. Nou, opschieten dan. Ga je maar gelijk wassen en omkleden. Daarna wil ik het met je over je onbetamelijke gedrag hebben.'
Ik wist zeker dat Millie niet op een welkomstpreek zat te wachten, maar wat moest ik? Ik liep naar mijn kamer.
'Millie?' Tante Oksana bleef staan. 'Voel je je wel goed? Je lijkt... je lijkt ineens lánger.'
'Jawel, hoor,' antwoordde ik. Millies stem klonk echter meer als die van mezelf. Ik rukte de deur open en sloot mezelf op.
'Ik ben gewoon moe. Het was een lange avond,' riep ik.
De zeepbel wachtte al op me in Millies kamer.
Tante Oksana klopte op de deur. 'Ik maak me zorgen. Ben je misschien ergens ziek van geworden?'
Ik antwoordde met een verdraaid stemmetje en stapte in de zeepbel. Het laatste wat ik zag was een andere zeepbel, die naast de mijne landde en waaruit de echte Millie stapte. Ze verstijfde toen ze me zag. Ik wist wat ze zag: half Desi, half haarzelf. Ik fluisterde: 'Doe alsof je ziek bent,' en verdween toen in Merediths kantoortje.
Ik wist dat ik voor de metamorfose binnen had moeten

zijn. Stand-ins die werden gespot, kwamen bij Façade in de problemen. Ik keek naar Meredith, die woedend aan haar bureau zat.
‘Ga zitten,’ beval ze.
Ik zuchtte. Anders dan Assepoester had ik me niet op tijd uit de voeten gemaakt.

9

Meredith tikte met haar hand op het bureau. 'Ik ben benieuwd hoe je dit gaat uitleggen.'
'Ik kon niet eerder weg! We mogen blij zijn dat ik niet al in de lift terugveranderde in mezelf. Je had me eerder moeten waarschuwen. Millie wilde absoluut niet dat haar tante iets zou merken, maar ik ben bang...'
'Dát maakt niemand iets uit.'
'Maar mij wel! Het ging ontzettend goed, totdat de rouge uitgewerkt raakte. En dat was een hele klus. Je moest eens weten wat ik allemaal heb moeten doormaken. Een korset, domme schilderijen, onnozele dansjes en...'
'Ik heb het niet over je klus. Je was net op het nippertje binnen. Je bent niet gespot.'
'Dus jullie gaan me niet hersenspoelen?' Ik kreeg koude rillingen bij het vooruitzicht dat al mijn ervaringen als stand-in uit mijn geheugen zouden worden gewist.
'Doe niet zo raar. Ik geef toe dat de werking van de rouge soms iets te strak gepland is. Maar daar kun jij niks aan doen.'
De metamorfose aan het begin en einde van de klus verliep te riskant. Stel dat ik die poppenkast de hele avond had doorstaan en dan toch op het laatste moment was betrapt? Dan zou ik het voor Millie hebben verpest. 'Waarom dan dit... kruisverhoor?'

'Dat zal ik je uitleggen.' Meredith stak me een zilverkleurig visitekaartje toe. Op het dikke papier stond met rode letters: GENEVIÈVE BELLEN, S.V.P.
Ik nam het kaartje aan en draaide het om. Op de achterkant stond het symbool van de Egyptische kever. 'Geen contactinformatie. Hebben jullie nog nooit van mobieltjes gehoord?'
'Dit kaartje geeft je tóéstemming haar te bellen. Je hoeft alleen maar haar naam hardop uit te spreken en dan neemt ze contact met je op. Ik kreeg pas zo'n kaartje toen ik agent was. Jij bent nog maar net aan Niveau 2 begonnen, dus ik vraag me af waarom jij er een krijgt. Wat is er tijdens het etentje in Dorshire Hall voorgevallen?'
'Nie... niets. We hebben over magie gepraat. Over de geschiedenis... in het algemeen.'
'Zo algemeen zal het niet geweest zijn. Ze is geïnteresseerd in jou. Ze wil dat je haar verslag doet van je magische ervaringen. Is er tijdens deze klus misschien iets magisch voorgevallen?'
'Nee.' Dansen met Gavin was allesbehalve een magische ervaring. 'Ik heb het geprobeerd, maar er gebeurde niets. Ik moest het doen met mijn hersens en Millies profiel. Precies zoals op Niveau 1, alleen ging nu alles volgens het boekje.'
'Hmm.' Meredith ging op de bank zitten en wreef over haar slapen. 'Even voor de duidelijkheid. Je hebt toevallig niets over míj tegen Geneviève gezegd? Iets wat mijn kans op promotie verkleint? Iets... persoonlijks?'
Ik keek haar verbijsterd aan. Nu begreep ik waarom ze zo boos en achterdochtig deed. Ze dacht dat ik Geneviève over haar prins had verteld. 'Meredith. Natuurlijk niet. Ik zou

nooit over jou roddelen. We hebben het alleen over je haar gehad. En dat Geneviève je een hardwerkende stand-in vond.'

'Oké.' Meredith wierp me een vernietigende blik toe. 'Want als je dat doet...'

'Ik ben Lilith niet.'

Meredith zuchtte. 'Dat is waar.' Ze zweeg even. 'Je hebt nu een kaartje. Wees er voorzichtig mee. De agency... Je hoeft ze niet alles te vertellen. Je weet nooit hoe de informatie, of zelfs je talent, gebruikt wordt. Dus tel altijd eerst tot tien voordat je iets vertelt. Begrepen?'

'Maar ik heb niets te verbergen.'

'Nee, jíj niet.' Meredith stond op van de bank. 'Oké. Je zult je wel willen omkleden voordat je terug naar je auditie gaat. Je kleren en cadeaumand staan naast de bank daar. Pak wat je nodig hebt, dan zet ik de rest op je slaapkamer als ik vertrek.'

'Goed,' zei ik nadenkend. Een schijnbaar aardige Meredith vond ik nog beangstigender dan een boze Meredith. Zodra de deur van haar kantoortje achter haar dichtviel, kleedde ik me om. Ik trok mijn spijkerbroek aan en verruilde mijn Shakespeare-shirt voor een van mijn nieuwe topjes uit de mand: een roodborsteitjesblauw shirt met ruches langs de hals. In de dunne stof hoopte ik voor de afwisseling een keer droog te blijven.

Omdat ik als gevolg van de Wet van de Verdubbeling slechts een seconde daarvoor met de zeepbel was vertrokken uit het damestoilet, was ik nog steeds alleen toen ik uit de zeepbel stapte. Het duurde altijd even voordat ik wist waar ik was en hoe laat het was. Wíé ik was. Desi. Ik was weer Desi, en zat midden in mijn audities.

Audities! Stress! Nou ja, alles beter dan met Gavin praten. Ik kuste nog liever Liliths voeten.
Ik gooide een plens koud water in mijn gezicht en droogde me af met een paar ruwe papieren handdoekjes. Ik dacht aan de luxe handdoeken in mijn cadeaumand. En aan Genevièves kaartje in mijn achterzak. Ik haalde het eruit en streek met mijn vinger over de gegraveerde letters. Zou ik het kaartje ooit gebruiken? Wat zou er gebeuren als ik Geneviève aanriep? Wilde ze alleen weten of ik magie voelde als ik aan het werk was, of ook thuis? En waarom gaf Geneviève haar kaartje juist aan míj?
Toen de deur van het toilet openging, stak ik het kaartje snel in mijn achterzak.
Kylee grinnikte toen ze me zag. 'Waar blijf je?'
Ik moest even naar de wc. O ja, en op en neer naar Parijs. Spannende dingen zijn altijd véél spannender als je er met iemand over kunt praten. Ik moest me inhouden niet alles aan Kylee te vertellen. 'Eh... ik bereid me voor op de volgende ronde.'
'Ik heb Reed gezien!' zei Kylee. 'Hij deed het geweldig. Hij lijkt sprekend op... eh... hoe heet die Nieuw-Zeelandse acteur ook alweer? Die lange. Hè, dat blijft nu door mijn hoofd malen. Maar goed, ik ging dus twee rijen achter hem zitten en had bijna "hoi" gezegd. Ik ga vooruit. Hé, hoe kom je aan dat topje?'
Oeps. Ik was zo blij geweest dat ik het zweetshirt niet meer aan hoefde, dat ik vergeten was een goede smoes te verzinnen voor mijn kledingwissel. Kylee zag altijd alles. Ik trok aan de zoom.
'Ik had een extra shirtje meegenomen. In dat strakke SHAKESPEARE IS COOL ENDE VET-T-shirt zweet ik enorm. Bo-

vendien,' mijn lach klonk hoog en gemaakt, 'dit is theater! Daar hoort een kostuumwissel bij.'
'Ik heb het nooit eerder gezien.'
'Het is nieuw.'
'Leuk. Waar heb je het gekocht?'
'Ik heb het van mijn moeder gekregen.'
Kylee kwam dichterbij en bekeek het labeltje in mijn nek. 'Desi, het is van Floressa Chase. Dat shirt moet meer dan honderd dollar hebben gekost.'
'Meen je dat?' Ik voelde aan de stof. 'Dan zal ze het wel uit de uitverkoop hebben.'
Kylee schudde haar hoofd. 'Maar waar ik voor kwam. Degenen die iets met een partner doen, zijn zo aan de beurt. Ben je zover?'
Ik schudde mijn haren uit mijn gezicht en streek mijn topje glad. Het was verbazend wat een snelle stand-inklus met je zelfvertrouwen voor een auditie kon doen.
'Oké, laten we gaan.'
Kylee en ik gaven elkaar een arm en liepen het theater in.

Die avond kon ik de slaap niet vatten. Ik maakte me zorgen over Genevièves kaartje en zag steeds Merediths gezicht voor me toen ze zei dat ik voorzichtig moest zijn. Waarom voorzichtig?
Er zat me nog meer dwars. Had ik iets niet goed gedaan? Vertrouwde Geneviève me wel? Had Façade twijfels over mijn bevordering naar Niveau 2? Het kon niet anders of ze waren tevreden over mijn laatste klus. Ik had gedaan wat Millie me had gevraagd, op het rommelige vertrek met de zeepbel na. En mijn andere klanten waren gelukkig. Ik had met eigen ogen gezien welke positieve invloed mijn

werk op Elsa had gehad. En de klant is koning, nietwaar? Na middernacht viel ik pas in slaap.
De volgende middag rond vier uur had ik al drie blikjes Mountain Dew op voordat ik naar de kantine durfde te gaan, waar de castlijst elk moment kon worden opgehangen. Ik ging een eindje van de bovenbouwkliek vandaan zitten en staarde naar de wandschildering van de schoolmascotte, De Pieper (inderdaad, een grote aardappel. En ja, de andere teams dreigden altijd puree van ons te maken. Maar goed dat we niet de Rode Bieten heetten). Na vijf minuten naar De Pieper te hebben gestaard, haalde ik het nieuwe BEST-programma uit mijn tas, dat Meredith me die ochtend had gestuurd.
De opgedragen taken leken meer op een checklist van een *celebrity*-assistent dan op een lijst koninklijke kwaliteiten. Dit keer zou het me een paar weken kosten, en geen maanden, zoals mijn voorbereiding op Millie.

1. Acteren
2. Zeilen
3. Roddels over sterren
4. Bekendheid met de mode-industrie, belangrijke ontwerpers en hun ideeën
5. Het ontwerpen van kleding en basisvaardigheden naaien

Deze prinses leek me geweldig, maar echt makkelijk zou het niet worden. Zeilen? Waar kon ik dat oefenen in Sproutville? En ik ontwierp dan wel mijn eigen T-shirts, maar wist niets van de laatste trends. Bovendien ging een knoop aannaaien me al moeilijk af.
Mijn blik dwaalde weer af naar De Pieper. Ik vroeg me af

hoe ik mijn BEST-programma het beste kon combineren met school, totdat Celeste en Hayden ineens in mijn blikveld verschenen. Ik glimlachte mijn beleefde wat-doen-jullie-hier?-glimlach.
Hayden trok een stoel naar zich toe en kwam bij me aan tafel zitten. 'Hoi, Daisy.'
'Je gaat toch zeker niet bij haar zitten?' Celeste sloeg haar ogen ten hemel. 'Tweedeklassers gaan hier voor kneuzen door, en ik wil niet compleet voor gek staan.'
'Sorry, schatje.' Hayden stond op. 'Kom, dan gaan we, want ik moet om vijf uur trainen.'
'Ik heb je toch gezegd dat ik haar iets moet vragen.'
'Hoi,' zei ik ten slotte. 'Ik neem aan dat je met "haar" mij bedoelt? Ik zit hier, voor het geval je mét in plaats van óver mij wilt praten.'
'O.' Celeste gooide haar haren over haar schouder. 'Ik zou met je moeder mee naar huis rijden, maar ik ga met Hayden naar zijn training. Zeg maar dat het passen volgende week gewoon doorgaat. En dat we de close-ups van de misses nog op de website moeten zetten.'
'Tuurlijk. Niets liever dan dat.'
Of mijn sarcasme was niet besteed aan Celeste, óf ze negeerde me omdat ik meteen weer onzichtbaar voor haar was. 'Oké, dat is dan geregeld. Nu heb ik zin in snoep.'
Hayden stak zijn neus in haar hals. 'Ik heb wel iets voor je, suikertje.'
Ik moest bijna overgeven. Gelukkig kwam er net een meisje de kantine binnen met twee vellen papier in haar hand die ze op het aankondigingenbord prikte. Celeste vergat dat ik onzichtbaar was en keek me met grote ogen aan. 'Denk jij ook wat ik...'

Ik vloog overeind. 'De rolverdeling.'
We holden naar het felwitte papier op het bord. Celeste drong zich tussen de andere leerlingen naar voren. 'Lathyrus! Een fee! Ik speel een van de feeën. OMG, wat zal ik er geweldig uitzien!'
Hayden trok haar in zijn armen en feliciteerde haar met een kus. Zucht. Waarschijnlijk gingen er maar twee rollen naar tweedeklassers en daar had Celeste er natuurlijk één van. Nu moest ze haar tijd verdelen over haar repetities en afspraken met mijn moeder om haar missgebaartjes te oefenen. Ik kromp ineen en wachtte op mijn beurt.
Iemand tikte op mijn schouder en fluisterde: 'Heb je je naam al zien staan?'
Ik keek om naar Reed, die me met een zelfverzekerde glimlach aankeek. Hij droeg een vintage houthakkershemd.
'Nee, ik ben te zenuwachtig.'
'Zal ik even voor je kijken?'
'Ik wacht wel.'
'O, kom op. Je bent bloednieuwsgierig. Net als ik.' Reed trok me aan mijn arm mee tussen de groep oudere leerlingen door.
Ik beet gespannen op mijn pinknagel terwijl hij de lijst vrouwelijke spelers doorkeek.
'Ach, wat jammer nu.'
'Ik sta er niet op, hè? Balen. Nu zal ik wekenlang Celestes gezwijmel over feeën en...'
'Jawel, hoor. Je staat erop. Alleen jammer voor die Celeste, want ze zal stikjaloers zijn.'
'O ja? Waarom?'
'Kijk maar eens boven aan de lijst.' Reed kneep me plagend in mijn arm. 'Jij bent Titania. De Koningin der Feeën.'

Mijn maag keerde zich om, maakte een salto en danste door mijn buik totdat mijn hele lichaam één dansende, blije bal was. Ik ademde diep in en probeerde mijn emoties de baas te worden. Het voelde anders dan de tinteling tijdens de audities. Nee, dit was een Bijzonder Moment. Een moment dat niets te maken had met magie, Celeste of wie dan ook. Ik had een van de hoofdrollen. En dat als tweedeklasser. Dit was, naast stand-in zijn voor prinsessen, het belangrijkste in mijn leven. Waren feeën niet altijd fijntjes gebouwd, zoals Celeste? Het was te hopen dat de jongens niet te klein waren. Jongens. Die namen had ik nog niet eens bekeken.
Celeste stond al voor de lijst.
'Ik ga wel met iemand praten.' Ze wendde zich met een pruillipje tot Hayden. 'Jij móét een rol krijgen, anders voel ik me veel te alleen.'
Hayden kon zijn glimlach amper verbergen van opluchting. 'Balen. Maar ja, ik moet toch ook voetballen en zo.'
Ze sloeg haar arm om zijn middel. Ik ving een deel van hun gesprek op terwijl ze naar de uitgang van de kantine liepen.
'Ik wil gewoon altijd bij je zijn.'
'Ik ook bij jou, schatje. Maar je zult er fantastisch uitzien als fee.'
'Ja, hè?'
Ze pasten perfect bij elkaar. Ik schaamde me bijna dat ik een oogje op Hayden had gehad. Of vriendin was geweest met Celeste. Ik voelde me nu compleet iemand anders. Iemand die EEN HOOFDROL IN EEN TONEELSTUK HAD!
Ik bleef in de kantine totdat bijna iedereen weg was en het stil werd. Toen er nog maar een paar leerlingen over waren, durfde ik pas weer op de lijst te kijken. Ik stond er nog op. DESI BASCOMB. TITANIA, KONINGIN DER FEEËN.

Even raakte ik mijn naam op het witte papier aan.
Reed leunde glimlachend tegen de muur. 'Je kunt het nog steeds niet geloven, hè?'
'Staat mijn naam er echt op? Een wens kan toch niet zomaar werkelijkheid worden?'
'Jij speelt een koningin. Een betere rol dan de ezel.'
'Sorry?'
'De ezel. Voller. De komische noot in het stuk.'
'Ben jij Voller?'
'Ja. Degene die het bos in gaat en halverwege het stuk een ezelskop krijgt. Maar je blijft me aardig vinden, dus dat is lief. Wel pijnlijk dat het van een liefdesdrankje moet komen, maar je bent getrouwd, dus misschien maar beter ook.'
'Ik ken het verhaal. Het is alleen.. dus jij bent... jij bent Vóller?'
'Echt wel.' Hij tikte met zijn vinger op zijn naam op het andere vel. 'Maar ik moet gaan. Ik zie je bij de repetities.'
Wat Reed er niet bij zei, was dat Titania en Voller een zoenscène hadden. Logisch in een stuk waarin de identiteit en gevoelens van de karakters steeds veranderen. Maar ik had er niet bij stilgestaan dat Reed en ik met elkaar zouden moeten zoenen. Telkens weer. Dat was iets heel anders dan het voorval bij de waterbak: dit was écht zóénen, bij volle bewustzijn, mét publiek (waaronder mijn beste vriendin). Shakespeare werd er meteen een stuk interessanter door.

10

Ik vertelde Kylee niets over de zoenscène. Nog niet. Ze zou er te veel achter zoeken, net als die keer dat Reed me mond-op-mondbeademing had gegeven. Ik wist, net als Reed, dat een kus op het toneel niets te betekenen had. Bovendien wilde ik hen proberen te koppelen en zodra dat was gelukt, deed zo'n Shakespeariaanse kus er niet meer toe.

Dat koppelen zou een hele klus worden: Kylee had plankenkoorts, of zeg maar gerust Réed-koorts, en alleen al het idee met hem te moeten praten was te veel voor haar. Op de eerste dag van de repetities gingen we op de achterste rij zitten zodat Kylee hem zogenaamd toevallig tegen het lijf kon lopen. Ze ijsbeerde met een geconcentreerd gezicht door het gangpad, alsof ze een ingewikkeld stuk op haar klarinet speelde.

'Als hij binnenkomt,' zei Kylee, 'zeg jij "hoi" en stel ik me nog een keer voor. Dan zeg ik...'

'"Hoi",' zei ik. 'Of "hallo". Dat moet je dan maar even improviseren.'

'Spot er maar mee! Ik wil alles gepland hebben als ik nerveus ben.'

'Je hebt toch al een keer met hem gepraat?' zei ik.

'Maar dat was voor de zomervakantie. Ik heb alle tijd gehad

om me weer zenuwachtig te maken.' Kylee bleef staan en beet op haar nagel.
'Jij doet alsof hij elk moment uit een ufo kan stappen.'
'Aha!' Ze stak triomfantelijk haar vuist in de lucht. 'Tijd om die ouwe films van jou het raam uit te gooien en lekker te huiveren. Je bent rijp voor de WATERMONSTERS!'
'Dacht het niet. En Kylee, doe met Reed erbij zoals je nu bent, want je bent grappig.'
De deur van de zaal zwaaide open en Kylee en ik keken verschrikt op. Twee meiden uit de bovenbouw liepen ons straal voorbij. Kylee wuifde zichzelf koelte toe. 'Kun je op je dertiende een hartaanval krijgen?'
De deuren gingen weer open en dit keer was het Reed. Ik kneep Kylee in haar arm en fluisterde: 'Zeg iets.'
'Dag, meisjes.' Hij sloeg zijn armen om onze schouders alsof we oude vrienden waren en Kylee niet op het punt stond flauw te vallen.
'Hoi,' zei ik.
'Hoi, eh... hallo,' zei Kylee.
'Ben je klaar voor de saaiste dag van je leven?' vroeg Reed.
Ik keek op naar Reed. Ik was blij toe dat hij groter was dan ik, want het kwam niet vaak voor dat ik tegen een jongen moest ópkijken. 'Hoezo?'
'De eerste dag wordt het stuk altijd eerst helemaal doorgelezen.' Reed liet zijn armen zakken en haakte zijn vingers achter de banden van zijn rugzak. 'Echt doodsaai.'
Kylee snoof en sloeg toen haar hand voor haar mond.
'Je kent Celeste wel, hè?' zei ik. 'Mijn moeder is miss-coach en ik heb er wel eens bij gezeten terwijl zij oefenden. Niets saaiers dan dat.'
Kylee knikte maar zei nog steeds niets.

‘Hallo, mensen!’ Mevrouw Olman stond met gespreide armen midden op het podium. ‘Acteurs! Komen jullie even allemaal hier?’
Reed trok een moeilijk gezicht. ‘Geloof me, dit wordt een lange dag.’
‘Nou, daar gaat-ie dan.’ Ik gaf Kylee een por. ‘Veel plezier met lesgeven. Zeg, Reed, had ik je al verteld dat Kylee lesgeeft aan de schoolband? Ze is een supertalent.’
‘Volgens mij wel. Cool.’
‘Ja. Oké... eh... ik zie jullie wel weer.’ Kylee zweeg even. ‘Blijf wakker.’
Reed lachte. ‘Oké, tot straks.’
Kylee deinsde achteruit alsof hij haar een klap in het gezicht had gegeven. Reed rende het trapje naar het podium op en ik wendde me tot Kylee.
‘Dat was grappig. Maar je moet wel meer zeggen.’
Ze schudde haar hoofd. ‘Ik weet niet of ik dat kan. Hij is zo knap. Een soort mannelijke Medusa.’
Mevrouw Olman klapte in haar handen. ‘Acteurs!’
‘Bedankt voor je hulp.’ Kylee slofte het theater uit.
Ik had het in elk geval geprobeerd. Ik kon geen Royal Rouge op mijn wangen smeren en doen alsof ik Kylee was. Ik sjokte het podium op en ging naast Reed zitten. Ik dacht dat ik klaar was voor de repetitie – ik had geen Mountain Dew gedronken en droeg een topje om mijn oksels koel te houden – maar als er íéts saai is, dan is het inderdaad anderhalf uur Shakespeare-Engels te moeten aanhoren. Ondanks het feit dat de verkorte versie van het stuk werd behandeld, doezelde de halve cast zo nu en dan in en gold de stilzwijgende afspraak dat we elkaar een por zouden geven als we aan de beurt waren. Mevrouw Olman bleef erop hameren dat we

goed moesten articuleren en de ziel van het personage moesten voelen, vóélen!, maar zelf ging ze tijdens het tweede bedrijf weg om koffie te halen.
Reed en ik hadden twee scènes samen. In de eerste werd Titania verliefd op Voller dankzij het liefdesdrankje. Hoe meer je doet alsof je verliefd bent, zei mevrouw Olman, hoe grappiger het wordt.
'Welke engel wekt mij in mijn bloemenbed?'
Reed schoof naar de rand van zijn stoel. Hij schraapte zijn keel en zei zijn tekst op. Perfect. Zoals altijd.
'Eh...' Ik keek de tekst door en zei mijn volgende regel.
Toen hij weer naar voren leunde, rook ik een sportief geurtje vermengd met iets anders. De oceaan? 'Probeer je nog iets meer in te leven,' fluisterde hij.
Ik herhaalde mijn tekst luid en duidelijk.
'Maar niet té,' zei Reed.
'Dank je.' Ik wrong mijn handen op mijn schoot en moest me inhouden om hem geen klap te verkopen.
'We gaan even pauzeren,' zei mevrouw Olman.
We legden onze tekstboeken weg en vormden spontaan groepjes. Reed gaf me een por met zijn elleboog.
'Je bent zenuwachtig.'
'Valt wel mee.'
'Tips nodig?'
'Dan vraag ik het wel aan de regisseur.'
'Het helpt als je de kern van het personage probeert te verwoorden. Titania gedraagt zich bijvoorbeeld op de ene manier, maar voelt iets anders. Als je het verschil begrijpt tussen wat ze wíl zeggen en wat ze écht zegt, kun je veel meer diepte in je rol leggen.'
Diepte? Hij wilde díépte? Hallo, ik was nog geen veertien,

maar was wel al aan mijn tweede baantje toe (waarvan één magisch), had een eigen internethandeltje, haalde goede cijfers, deed repetitie voor *Een midzomernachtsdroom*, was best een aardig meisje en beet me niet vast in oppervlakkige dingen, zoals welk geurtje Reed gebruikte en waarom hij zo lekker rook. Als dát niet diep was? De Grand Canyon was er niks bij!

'Dank je wel. Ik zal eraan denken.'

Na de pauze gaf mevrouw Olman een paar tips over langzaam spreken, zodat we de bedoeling van de woorden beter zouden kunnen overbrengen. Reed gaf me weer een por, alsof ze het alleen tegen mij had en ik pen en papier moest pakken om het op te schrijven.

Maar hoe ik me ook aan zijn 'tips' ergerde, het motiveerde me wel mijn spel te verbeteren. Als ik dezelfde gevoelens kon oproepen die ik tijdens de auditie had gehad, zou ik zelfs kunnen stralen met die stomme oude Shakespearetaal. Ik moest alleen nog ontdekken hóé ik die gevoelens kon oproepen.

Ik sloot mijn ogen. Oké, ik ben Titania. Titania's echtgenoot heeft haar schandalig behandeld. Bovendien heeft ze een liefdesdrankje gehad. Hoe zou het zijn om zo'n sterke emotie te voelen die niet echt is?

Ik voelde een vertrouwde vonk in mijn binnenste en kromp ineen. Ik voelde de emoties van mijn prinsessen, maar die bleven tweedehands. Een liefdesdrankje zou hetzelfde doen, namelijk de echtheid van de emotie wegnemen. Ik begreep Titania. Ik begreep het liefdesdrankje. De vonk laaide zo hoog op dat ik bijna barstte. Ik voelde me zo Titania dat ik spontaan elfenvleugels zou kunnen laten aangroeien en wegvliegen.

Toen ik opnieuw mijn tekst uitsprak, zakte Reeds mond open van verbazing.
'Wat is er?' fluisterde ik.
Hij schudde zijn hoofd. 'Wauw.'
Wauw, zeg dat wel. Pas na de volgende scène hield het beven op. Het deed me denken aan een ongeluk dat ik op mijn zevende had gehad, waarbij de auto van mijn moeder total loss was geraakt. We kwamen met de schrik vrij, maar ik herinner me nog dat ik half in shock op de stoep zat en duizelig was van de adrenaline. Dit gevoel was niet zo intens, maar de tinteling was heftiger dan na een flinke dosis suiker of cafeïne.
Na de repetitie was ik weer helemaal de oude Desi. Reed had gelijk. Afgezien van het Titania-moment haalden de afgelopen twee uren zeker de top tien van Meest Saaie Momenten in Mijn Leven, direct volgend op mijn dans met Gavin. Verslagen verlieten we het theater, vooral mevrouw Olman. Het was moeilijk voor te stellen hoe al die woorden, die de helft van ons nauwelijks kon uitspreken, laat staan begreep, veranderd konden worden in iets waar mensen voor hun plezier naar zouden komen kijken.
Eenmaal buiten hief ik mijn gezicht genietend naar de zon. Ik mocht dan geen fan van Shakespeare zijn, ik had wel een belangrijke rol in het schooltoneelstuk van de BOVENBOUW. Al was het *Pieter Konijn* geweest, dan nog had ik het geweldig gevonden.
Ik liep naar de uitgang van het footballveld waar mijn moeder me zou komen ophalen. Bijna alle bovenbouwers hadden een auto of vrienden met een auto en ik wilde niet de sneue tweedeklasser zijn die door haar moeder van school werd gehaald. Ik liet mijn rugzak op de grond vallen en nam

een flinke slok water uit de drinkfontein. Toen ik overeind kwam, stond Reed naast me. 'Heb je mijn tip opgevolgd?'
Ik greep naar mijn borst. 'Jezus! Ik schrik me dood. Waarom duikt iedereen toch altijd achter me op?'
'Hoezo?'
'O, niets.' Ik haalde diep adem.
'Wat deed je anders toen je voor de tweede keer je tekst zei?'
'O. Eh...' Ik wist niet wát ik anders had gedaan. Geneviève had gezegd dat ik in het dagelijks leven geen gebruik kon maken van mijn magie, maar ik wist zeker dat er iets was gebeurd. Ik wist hoe ik me had gevoeld en hoe de anderen hadden gereageerd. Niet dat de andere acteurs hadden gedacht dat ze elk moment in een elf konden veranderen, maar toch. Dit was niet normaal. Misschien was het een vleugje magie geweest – onvoldoende voor de agency om het op te merken – maar wel om me een zetje te geven. Of was het meer geweest en moest ik het aan Geneviève vertellen? Daar moest ik over nadenken. 'Geen idee. Ik heb gedaan wat jij zei. Ik probeerde te voelen wat het personage voelde.'
'Deed je dat tijdens de auditie ook?' vroeg hij.
Ik haalde mijn schouders op. 'Zoiets. Waarom, was het niet goed?'
'Jawel. Je... je... bent een natuurtalent, Desi.'
Ik bloosde om het onverwachte compliment. 'Het waren maar een paar zinnen. Jij moest veel meer doen.'
'Ik heb al veel meer kunnen oefenen. Maar jij... je moet doen wat je net deed. Telkens weer.'
'Eh, oké.'
Reed bleef me nog even aanstaren. Ik begon me af te vragen of het in Nieuw-Zeeland de gewoonte was mensen zo lang aan te blijven staren.

'Nou, dan ga ik maar eens.' Ik deed een stap naar achteren. 'Eh... tot ziens.'

Reed deed een stap naar voren; ik rook weer een vleugje oceaan. Wauw, waar had hij dat gekocht? 'Wacht. Sorry, ik gedraag me nogal vreemd, of niet?'

Ik zei niets.

'Dat heb ik soms. Sorry.' Hij frunnikte aan de band van zijn rugzak. 'Ik probeer hoogte van je te krijgen. Als je samen moet spelen, is het handiger als je je tegenspeler goed begrijpt, snap je?'

'Met staren leer je die ander niet te begrijpen. Sterker nog, je zou een klap kunnen krijgen.'

Reed glimlachte. 'Je bent de grappigste Amerikaan die ik heb ontmoet.'

'Bedankt, ook namens mijn landgenoten.'

'Weet je wat?' Hij tikte met zijn voet tegen mijn been. 'Ik ga je bewijzen dat ik niet gek ben en geef je een lift naar huis.'

'Heb jij dan een auto?' vroeg ik. Soms reden derdeklassers al auto. In Idaho mocht dat al op je vijftiende.

'Nog niet. Maar ik heb Lola.' Hij wees naar de laatste fiets in het fietsenrek. Een tandem.

'Rijd je in je eentje op een tandem?'

'Ik heb hem afgelopen zomer op een rommelmarkt gekocht.' Reed schopte tegen een van de banden. 'De vorige eigenaar van de fiets ging scheiden en het deed die arme man zelfs pijn ernaar te kijken. Ik heb hem voor dertig dollar op de kop getikt. Goede conditietraining, maar toch prettiger als je met z'n tweeën fietst. Dat gaat een stuk sneller. Dus je gaat mee?'

'Mijn moeder komt me ophalen.'

'Dan bel je haar toch af.'

Ik beet op mijn lip. Ik had nog nooit op een tandem gezeten. Het leek me wel grappig. Kon ik maar ruilen met Kylee, dan liet ik haar samen met Reed fietsen. Maar ze was nog in het muzieklokaal, dus ik kon beter in háár belang met Reed omgaan, of niet soms?
'Oké.' Ik stuurde mijn moeder een sms'je. Ook al las ze hem niet, de kans was groot dat een tandem op de weg haar zou opvallen. 'Nog iets wat ik moet weten?'
'Ik ben de kapitein, jij de stoker. Wat erop neerkomt dat ik stuur, rem en een gil geef als we tegen een muur dreigen te knallen. Aan jou de moeilijke taak om de omgeving in je op te nemen.'
'Laten we de muren maar sparen, oké?'
Reed gaf me zijn helm aan en ik zwaaide mijn been over het zadel. Hij ging op het voorste zadel zitten en kneep in de hoorn. 'Klaar voor de start?'
Weer een heel gesprek zonder dat ik Kylee ter sprake had gebracht. En dat noemde zich een vriendin. 'O ja, nog iets. Je zei net dat ik het grappigste meisje was dat je hebt ontmoet?'
'De grappigste Amerikaan.'
'Da's waar. Nou, wacht maar tot je Kylee hebt leren kennen. Die is nog veel grappiger.'
Reed draaide zich om en keek me met opgetrokken wenkbrauwen aan. 'Waar slaat dat op?'
'Hup, trappen.'
Reed fietste vanaf de parkeerplaats een achterafstraatje in. Zijn stuurmanskunst corrigeerde mijn gewiebel en als er een bult of bocht aankwam, waarschuwde hij me met een roep over zijn schouder. Ik wees op het landschap van Sproutville. Of beter, op de bebouwing.
'Zie je dat huis daar?'

‘Ja?’
‘Daar heeft Mark Twain ooit gewoond.’
‘Hè? De schrijver van *Tom Sawyer*?’
‘Warm. Het was een automonteur, genaamd Mark Wayne.’
Reed lachte. Een leuke lach. En ondanks zijn vreemde gestaar kon ik makkelijk met hem praten. Ik begreep niet waarom Kylee in zijn bijzijn geen woord over haar lippen kreeg.
Toen we bij mij thuis aankwamen, kwam mijn moeder net van de oprit af rijden. Het autoraampje zoefde omlaag en ze stak haar hoofd naar buiten. ‘Toen je sms’te dat je op een tandem naar huis zou gaan, dacht ik dat je een grapje maakte.’
‘Nee, mam. Fietsen op een tandem is een serieuze zaak.’ Ik sprong van de fiets en gaf Reed zijn helm aan. Toen hij hem opzette, viel zijn haar in zijn ogen. Ik had de neiging het uit zijn gezicht te strijken, gewoon om aardig te zijn, maar wist me net op tijd te bedwingen, omdat... ik weet niet waarom.
‘Word ik nog voorgesteld?’ vroeg mijn moeder. ‘Ben jij niet die aardige jongen die Desi voor de zomervakantie uit die waterbak heeft gered?’
‘Yep, dat ben ik. De Superheld van de Waterbak. Red de wereld, begin bij één verdronken meisje per keer.’
‘O, wat een charmeur.’ Mijn moeder grinnikte. ‘Wat een charméúr, hè, Desi?’
Ik sloeg mijn ogen ten hemel. ‘Dag, Reed.’
‘Bedankt voor je trapkracht.’ Hij toeterde met zijn hoorn en fietste weg.
‘Ik wist niet dat Reed ook meedeed aan het toneelstuk.’
‘Er doen zo veel jongens mee.’ Ik liep naar de voordeur. ‘Het

is Shakespeare, mam. Vroeger speelden er alleen maar jongens in zijn stukken.'
'Oké, maar je weet me te vinden als je erover wilt praten.' Mijn moeder trok de deur achter ons dicht en hing haar sleutelbos aan de haak.
Ik sloeg mijn armen over elkaar. 'Kylee is op Reed, als je dat soms bedoelt.'
'Ik bedoel helemaal niks.' Mijn moeder probeerde vergeefs een zelfvoldaan glimlachje te verbergen. Dat ergerde me. Er was niets om zo voldaan over te doen.
Ik rende naar mijn kamer en wierp me op mijn bed. Ik moest nodig met Kylee praten, maar wilde eerst een dutje doen. De fietstocht en de Titania-magie hadden me uitgeput.
Ik kwam overeind. Magie. Daar had je het weer. Als het echt magie was geweest, zou Geneviève willen dat ik belde. Ik liet me achterover vallen en sloot mijn ogen. Nu moest ik alleen het kaartje nog durven te gebruiken.
's Avonds deed ik mijn huiswerk voor de hele week, keek twee zeilcatalogi door en surfte langs acht roddelsites (research is vet!) voordat ik het kaartje uit mijn bureaula pakte. Ik legde het op mijn kussen en ging ernaast liggen terwijl ik naar mijn Muur Met Geweldige Dingen keek, met voornamelijk foto's van mijn favoriete filmsterren uit klassieke films. En Karl. De afgelopen maanden waren er heel wat foto's van Karl bij gekomen.
Ik gaf het niet graag toe, maar een van de redenen waarom ik mijn werk voor Façade graag goed wilde doen, was het vooruitzicht Karl weer te zien. Het koninklijke wereldje was klein. Of ik nu stand-in was voor Elsa, Karls vriendin hertogin Olivia of een willekeurige royal op een liefdadigheids-

feest, ik zou hem ongetwijfeld een keer tegen het lijf lopen. Ik wist niet wat ik zou doen of zeggen. Als ik écht magie had, magie die ik kon sturen en gebruiken zoals ik dat zelf wilde, dan zou het heel verleidelijk zijn hem zover te krijgen dat hij me weer zou zoenen. Eerst zoenen, dan een paar jaar daten, vervolgens na nog een paar jaar trouwen, om uiteindelijk een paar zonen te krijgen die leuke prinsen zouden worden en...

Ik gaf een schop tegen de muur. Ik moest mijn dagdromen leren beheersen. Niet alleen in het belang van Elsa of Karl, maar ook omdat ik mijn magische krachten niet aan een verliefdheid zou moeten verspillen. Mijn werk als stand-in had me duidelijk gemaakt dat er meer in het leven was dan alleen maar jongens en dat er heel wat mensen rondliepen die hulp nodig hadden. Dat wilde ik het liefst. Mensen helpen.

En niet alleen royals. Niet dat ik het niet leuk had gevonden mijn Niveau-1-prinsessen te helpen, maar ik vroeg me af of al mijn Niveau-2-klusjes van het type Millie zouden zijn. Bestond magie omdat Millie niet met een vervelende jongen wilde praten of geen korset kon verdragen? Dat stond wel heel ver af van de legendarische Egyptische Woserit, de eerste stand-in. Ze had haar magie gebruikt om een leven te redden. Wat wilde Façade tegenwoordig met al die magie?

Toen ik mijn voet langs de muur omlaag liet glijden, viel er een foto van de wand. Het was een zwart-witfoto van een jonge, beeldschone Elizabeth Taylor in de rol van Cleopatra. Ze droeg een gouden tiara met een kever, hetzelfde symbool dat achter op Genevièves kaartje stond. Alleen wist ik niet meer waar de kever symbool voor stond. Ik overwoog

het op internet op te zoeken, maar het was al laat en ik had al veel te lang achter de computer gezeten.
Bovendien stelde ik zo alleen maar uit wat ik al de hele dag had uitgesteld.
'Oké,' zei ik hardop tegen mijn Muur Met Geweldige Dingen. Karl, in zijn schooluniform, keek vanaf een foto streng op me neer. 'Eh... Geneviève? Ik wil met je praten. Nu.'
Het kaartje op mijn kussen zoemde, de kever op de achterkant knipperde. Ik keek er argwanend naar, bang dat de kever zou opvliegen en me zou aanvallen. Je wist het maar nooit met Façade.
Toen het knipperen ophield, maakte mijn handcomputer een vreemd... trilgeluid. Zoals een ouderwetse telefoon. Ik opende het schermpje, waarop een jongeman met een pikzwarte huid en spierwitte oogballen verscheen. Zijn gelaatstrekken hadden iets virtueels; niemand zag er zo gelikt uit. Hij knipperde met zijn ogen.
'Bel je voor Geneviève?' vroeg hij met een duidelijk accent. Eerst dacht ik dat het een Brits accent was, maar het klonk zachter. Zuid-Afrikaans?
Ik staarde naar hem terwijl ik zijn accent probeerde te plaatsen, maar me ook afvroeg waarom er een filmpje van deze man op mijn schermpje verscheen.
'Ik ben Genevièves secretaris, Dominick.'
'Hallo, Dominick,' zei ik.
Dominick snoof. 'Je belde voor Geneviève. Wat kan ik voor je doen?'
'Sorry. Ik ben Desi. Ze zei dat ik contact met haar moest opnemen als ik een magische ervaring had.'
'Ze zit in een vergadering. Is het dringend?'
'Dringend? Nee. Ik had vandaag een toneelrepetitie en had

het gevoel dat ik... ach, laat ook maar. Ik bel later nog wel een keer.'
Dominick stak een wijsvinger in de lucht en duwde met de wijsvinger van de andere hand op een oorapparaatje. 'Ja? Ja. Ze heet Desi...'
Hij keek me met één opgetrokken wenkbrauw aan.
'O. Gewoon Desi,' zei ik gehaast. 'Het is nergens een afkorting van.'
'Achternaam,' mimede hij.
'Bascomb. Sorry.'
'Desi Bascomb. Iets over een magische toneelrepetitie.'
Hij luisterde even naar iemand aan de andere kant van de lijn. 'Doe ik, Geneviève.' Hij keek op. 'Ik verbind je door met Geneviève. Hou het kort. Ze heeft het druk. Het verbaast me dat ze je wil aanhoren.'
Zijn gezicht verdween van het schermpje en werd vervangen door dat van Geneviève. Ze glimlachte warm. 'Hallo, Desi. Wilde je me iets vertellen?'
Ik voelde me ineens heel onnozel. Wat moest ik zeggen? *O, ik voelde me vandaag net een elfje tijdens de repetitie?* Dommer kon niet. Geneviève had gezegd dat magie alleen kon worden opgeroepen met rouge en als je een klus voor Façade deed. Dat leek me logisch, vooral nu ik alles over de geschiedenis en het koninklijke pact wist. Ik was zo zeker van mijn zaak geweest, maar nu ik Geneviève aankeek, begon ik te twijfelen.
'Ik... eh... ik...'
Domkop! Dit was HET HOOFD VAN FAÇADE. Ze moest de drukstbezette vrouw ter wereld zijn en dan belde een laaggeplaatste stand-in die niet eens een normale zin kon vormen. Maar wat moest ik zeggen? De reden waarom ik belde, leek steeds onnozeler.

'Het spijt me. Ik had niet begrepen dat ik u met dit kaartje direct aan de lijn zou krijgen. Ik... ik dacht aan een verjaarscadeau voor u, en voor ik het wist, zei ik hardop uw naam.'
Geneviève schudde met haar vinger. 'Een cadeau? Geen cadeaus! Ik ben veel te oud voor al die pracht en praal.'
'Oké.'
'Maar ik moet terug naar de vergadering. Dit was een soort test. Je weet nu hoe makkelijk het is om met me in contact te komen. Als dat tintelende gevoel waarover je het laatst had terugkomt, laat het me dan weten. Ook al is het geen magie, dan nog willen we uitzoeken hoe het werkt en wat jouw emotie is die het oproept. Weet je zeker dat er niet nog iets anders was?'
'Heel zeker.' Ik overwoog het toneelstuk te noemen, maar dat zou een te zwabberige indruk maken.
Op mijn schermpje werd Geneviève vervangen door Dominick. Hij keek me over de rand van zijn bril aan. 'Kan ik je nog ergens mee van dienst zijn, mejuffrouw Bascomb?'
'Nee, dank je. Het is prima zo. Sorry.'
'Fijne dag nog.'
Het scherm werd zwart en ik gooide mijn handcomputer op mijn kussen. Wat een tijdverspilling. Wat maakte ik me ook druk om kaartjes en feeënmagie. Het werd tijd dat ik me op mijn rol en mijn nieuwe BEST-programma ging concentreren.
En op Façade, waar de échte magie plaatsvond.

11

Sinds mijn moeder en ik samen aan het ijs hadden gezeten, deden we ons best elkaar bij onze bezigheden te betrekken. Tenminste, bij die bezigheden die ik met haar kon delen. Drie weken lang oefende mijn moeder mijn tekst met me en kwam ik zo nu en dan naar beneden om haar sessies met Celeste bij te wonen. (Ja, Celeste. Paars is jouw kleur. Voor de miljoenste keer.) Het feit dat etiquette en lichaamshouding me van pas waren gekomen als stand-in van Millie, hadden me ervan overtuigd dat mijn moeders schoonheidsadviezen een goede aanvulling konden zijn op mijn BEST-programma. Maar toen mijn moeder vroeg of ik zin had om mee te gaan naar de Miss Tiener-verkiezing, heb ik zoiets gezegd als:
'Ik maak nog liever een hamsterkooi schoon met mijn tanden.'
'Papa is naar een conferentie in Reno. Ik wil niet dat je alleen thuis bent.'
'Ik kan wel bij Kylee logeren.'
'En je moet me helpen met Gracie.'
'Dan is het dus geen vraag, maar een bevel.'
'Het is een mooi hotel.'
Wat mijn moeders manier was om te zeggen: *Niet zeuren. Je gaat mee.*
De missverkiezing was in The Grove, een luxueus hotel in

het centrum van Boise, compleet met aula en eetzaal, dus we zouden het hotel niet uit hoeven. De receptiehal verbleekte bij die van Façade, maar verder was het het mooiste hotel dat ik ooit had gezien. Veel mooier dan de Comfort Inns waar we tijdens onze vakanties altijd logeerden.

Na twee uur rijden zat Gracie van top tot teen onder de plakkerige cornflakes. Ik plukte de cornflakes uit haar haren toen mijn moeder Celeste omhelsde. Ik had gehoopt dat ik nog een uur met mijn moeder alleen zou hebben, maar mevrouw Juniper had migraine en had Celeste aan haar lot overgelaten.

Celeste sloeg meteen aan het roddelen. 'Het ziet er goed uit,' fluisterde Celeste tegen mijn moeder. 'De helft van de meisjes heeft nog nooit aan een missverkiezing meegedaan. Alleen van de meiden uit de stad heb ik concurrentie.'

'Positief blijven.' Mijn moeder fronste haar wenkbrauwen. 'Het is vooral een mentale wedstrijd. Het is niet jij tegen hen, maar jij tegen jezelf. Je moet het beste van jezelf laten zien.'

Ik kuste Gracie op haar kruin om mijn glimlach te verbergen. In dat geval zou je Celestes mond moeten afplakken met tape.

Gracie sloeg met haar schoen op mijn hoofd.

'Niet slaan. Dat is stout.'

'Stout, stout, stout.'

Ze haalde nog een keer uit, maar ik wist net op tijd weg te duiken. 'Ik denk dat ik even met Gracie naar het zwembad ga. Willen jullie voor de wedstrijd nog even ergens samenkomen?'

'Dat denk ik niet,' zei mijn moeder. 'We hebben het ontbijt, het interview en dan de *walkthrough*... Dat redt Gracie niet.'

'Oké. Nou, succes dan maar! Ik heb mijn mobiel...' Ik hoor-

de gezoem in mijn tasje. Ik staarde er zwijgend naar, in een poging te begrijpen wat er gebeurde. Mijn mobieltje zat in mijn broekzak en in het tasje dat ik bij me had, zaten alleen mijn rouge en handcomputer voor het geval...
Mijn handcomputer.
'Dat zal papa wel zijn. Zeg maar dat alles goed gaat.'
Ik moest weg. Nu meteen. 'Oké! Maar ik moet nodig naar de wc, dus ik praat daar wel met hem. Eh... hou jij Gracie even vast?' Ik zette Gracie op mijn moeders heup. Gracie greep naar haar neus.
'Het ontbijt begint over een halfuur,' zei Celeste.
'Neem je je telefoon niet op?' vroeg mijn moeder.
'Jawel. Dadelijk. Ik ben zo terug. Ik kan Gracie op de wc niet bij me op schoot houden.'
'Gatsie,' mompelde Celeste.
Ik haastte me naar het damestoilet. Ik had nooit gedacht dat ik als werkneemster van de meest glamoureuze agency ter wereld zo vaak in een toilet zou belanden. Ik sloot mezelf op in een wc-hokje, haalde bevend de handcomputer uit mijn tasje en staarde naar het icoontje op de hoofdpagina. Een sms'je.

Meredith: Ben je klaar voor een nieuwe klus?

Ik weet niet waarom ik zo verbaasd was door het sms'je. Mijn handheld bevatte meer geheime gegevens dan de FBI. Tegelijkertijd vroeg ik me af waarom Meredith me nooit eerder had ge-sms't. Dan was de kans dat ik een paar keer bijna was ontmaskerd veel kleiner geweest.

Desi: Kunnen we hiermee sms'en?

Meredith: Is dat een serieuze vraag? Lijkt me duidelijk.

Desi: Kan het wachten tot morgen?

Meredith: Grapje, hoop ik.

Desi: Ik ben bij een missverkiezing en moet op mijn zusje passen. Eén dag maakt toch niet uit? Maak maar gebruik van de Wet op de Verdubbeling. Er zal echt geen tweede Franse Revolutie uitbreken omdat ik vandaag toevallig niet kan werken.
Meredith: Haha. Het is lang geleden dat ik je heb gezien en ik mis je zelfs een ietsepietsie. Dan krijg ik twee sms'jes en ik sta op het punt om... Luister, jij doet alsof we zomaar een beetje met de tijd kunnen spelen, maar dat is niet zo. We werken volgens een nauwkeurig magieschema. Ik heb je nú nodig.
Desi: Waarom ben je dan niet hier? Waar is de zeepbel?
Meredith: Die heb je niet nodig.
Desi: Hoe kom ik dan op mijn werk? Heb je soms een dubbele afspraak gemaakt?

Mijn handcomputer zoemde weer. Op het schermpje verscheen een foto van Meredith, waaronder de tekst: BINNENKOMEND TELEFOONTJE. Ik drukte op OPNEMEN.
'Is dit ook een telefóón? Waarom heb je me dat niet verteld?'
'We hebben het over de tijd stilzetten en dan ben jij onder de indruk van een telefoon?'
'Waarom stuur je me een sms'je als je ook kunt bellen? Of werk je met zo'n cool videobeeld, net als Gene...'
'Alle royals nog aan toe. HOU JE MOND EENS. Ik probeer tíjd te winnen. Oké, opgelet, want dit baantje is net binnengekomen. Het is een observatieklusje en helemaal perfect voor jou.'
'Perfect? Is er om mij gevraagd? Gaat het om Elsa?'
'Nee, het is wat... dichter in de buurt. Daarom heb je ook geen zeepbel nodig.'

'Je bedoelt in Idaho? Is er een prinses in Idaho? Meredith, ik snap er niets van. Wat is er aan de hand? Als er hier een kleding- of stripbeurs...'
'Nou, kalm maar! Je hoeft deze keer niet eens rouge te gebruiken. Op onze magische radar verscheen een meisje dat we proefstand-in willen laten zijn voor een van de deelnemers aan jouw missverkiezing daar. De deelneemster die ze moet vervangen is een ervaren miss die een hekel aan missverkiezingen heeft. Maar haar moeder pusht haar zo dat ze niet anders kan. We hebben haar al vaker gebruikt omdat ze dolgraag spijbelt. Het enige wat je hoeft te doen, is de stand-in in de gaten houden en ervoor zorgen dat ze geen al te grote schade aanricht. Je bent er al, dus dat scheelt ons reiskosten. Prima geregeld dus.'
'Maar is het geen probleem dat ik gewoon ík ben?'
'Zolang dat meisje het hotel niet in brand steekt met een krultang, hoef jij alleen maar te observeren. Jij bent ons vangnet. Het maakt niet uit wie je bent, zolang je maar toekijkt.'
Geld verdienen met het kijken naar een missverkiezing. Het kon niet beter. Waarschijnlijk verdiende ik meer met toekijken dan de winnares met het prijzengeld, en daarvoor hoefde ik niet zwaaiend met een betraand gezicht van het podium af te draven.
'Moet ik op het eind ook beoordelen of ze prinsespotentieel heeft?'
'De uiteindelijke beslissing ligt bij de raad, maar mocht ze doorgaan, dan moet jij een soort PVR-formulier invullen. Als ze er helemaal niets van bakt, heeft jouw oordeel geen invloed op de uitkomst. Onthoud dat je alleen maar hoeft te kíjken, dus niet ingrijpen of dingen willen veranderen.'

De deur van het toilet ging open en er kwamen een paar lachende meiden binnen. Ik liet mijn stem zakken en fluisterde: ‘Oké. Stuur me de info maar.’
‘Zo mag ik het horen. Kort en zelfverzekerd. Na de verkiezing neem ik weer contact met je op. In geval van nood kun je me sms’en, maar maak daar geen misbruik van. Met nood denk ik aan bloed, vuur, natuurrampen... Kortom, als het voorval het avondjournaal haalt, mag je me bellen. Succes, schat. Doei-doei.’
Ik wilde net uit het wc-hokje komen toen de twee meiden begonnen te kletsen. Het zou raar zijn als ik nu ineens tevoorschijn zou komen, dus ik tilde mijn voeten op en wachtte.
‘Kom nou, Willow, je weet toch dat wij in de finale komen? Dat is altijd zo met grote landen.’
‘Ik hoop ‘t.’ Door het geluid van stromend water in de wasbak en de handdroger viel een deel van wat het tweede meisje – Willow, nam ik aan – zei weg: ‘...dus heel wat meiden maken kans.’
‘Maar nog veel meer niet. Heb je dat meisje uit Fredonia County gezien? Celestial of Angel, of hoe ze ook mag heten. Ze heeft zo’n goedkope nepteint en lijkt op een... boerin.’
‘Zeg dat wel.’
‘Kan deze lippenstift?’
‘Bij dit shirt wel, maar ik zou hem niet bij de avondkleding dragen.’
‘Duh. Voor vanavond heb ik vier verschillende kleuren, dus je zult me moeten helpen.’
De meiden lachten weer en liepen het toilet uit. Ik zette mijn voeten op de tegels. Huh. Meestal was ík degene die belachelijk werd gemaakt... door Celeste. Maar deze mei-

den beledigden behalve Celeste ook mijn geboortestad. Hopelijk was een van de twee niet het meisje dat ik moest observeren.
Alsof mijn handcomputer mijn gedachte had opgevangen, verscheen er informatie over het meisje op het scherm. Met haar bolle wangen, stevige bril en korte haar met platinablonde en felrode highlights zag ze er niet bepaald uit als het type dat meedeed aan een missverkiezing.

PROEFKLANT: McKenzie Lighthouse, Miss Sampson County
Leeftijd: 14
Basisinformatie: Door haar moeder gedwongen deel te nemen aan missverkiezingen. Nam contact op met Façade voor een dubbelganger (niet-koninklijke klanten zijn niet op de hoogte van de magische metamorfose en denken domweg dat de stand-ingelijkenis wordt geschapen door middel van grime). Aangezien McKenzie al bij ontelbare missverkiezingen als laatste is geëindigd – met uitzondering van de missverkiezing in Sampson County, waar slechts vier deelnemers waren en een van de drie werd gediskwalificeerd na een hoogoplopende ruzie over nagellak) staat vast dat ze nooit een finalist zal worden. Houd haar de hele dag goed in de gaten. Het is belangrijk dat ze in haar rol blijft maar geen extreem gedrag vertoont. McKenzie zal bij terugkeer geen gevolgen/verantwoordelijkheden als miss onder ogen hoeven zien.

Ik duwde de deur open en haastte me terug, zoekend naar McKenzie. In de foyer hing een opgewekte sfeer. Meisjes, met sjerpen over hun zorgvuldig uitgekozen 'vrijetijdskle-

ding', klitten in groepjes bij elkaar. Ik zag McKenzie aan de andere kant van de hal in gesprek met Miss Idaho Falls.
Ze was extreem losjes gekleed in een donkerblauwe ribbroek met daarop een hippieachtig geborduurd T-shirt.
Miss Idaho Falls nam haar outfit misprijzend op. Ik wilde net oogcontact proberen te maken toen mijn moeder haar hand op mijn schouder legde. 'Hier, neem Gracie even over. We moeten naar de eetzaal voor het ontbijt.'
De hal liep leeg. De enige aan wie ik kon denken was McKenzie, die aan het ontbijt zou zitten. Ik moest haar observéren. Dus...
'Mag ik mee?' vroeg ik.
Celeste trok een moeilijk gezicht. Mijn moeder keek verbaasd. 'Naar het ontbijt? Wilde je niet met Gracie naar het zwembad?'
'Jawel. Maar... liever straks. Ik heb alleen maar wat cornflakes gehad. En ik ben altijd nieuwsgierig geweest naar hoe het er achter de schermen aan toe gaat. Ik zou de plaats van Celestes moeder kunnen innemen, en... alsjeblieft mam? Alsjebliéft?'
Ik hield mijn adem in. Ik zag dat Celeste hetzelfde deed.
Mijn moeder gaf me een klopje op mijn arm. 'Zolang Gracie het naar haar zin heeft, lijkt me dat geen probleem. Ik ben blij dat je geïnteresseerd bent in het programma. Als ik dat had geweten, had ik jou de TEAM CELESTE-shirts laten maken.'
Ergens in Sproutville slaakte mijn T-shirt-ontwerpsoftware een ijselijke gil.
We liepen met de stroom meiden mee naar de eetzaal. Mijn moeder zong 'Hoedje van papier' voor Gracie terwijl we op het eten wachtten. Celeste nam me apart.

'Eerst doe je mee aan de audities en nu bemoei je je met mijn wedstrijd. Hou alsjeblieft eens op met mij na-apen.'
Ik vertrok geen spier. 'Maar Celeste, ik heb helaas al een TEAM CELESTE-T-shirt gemaakt. Daar wilde ik ons oude vriendschapskettinkje op dragen.'
'Zie je wel. Wat ben je toch een meeloper. Ik wist dat je weer vriendinnen probeerde te worden.'
'Help. Dat heet sarcasme. Moet je ook eens proberen.'
Celeste schudde haar haren naar achteren en drong voor. Uit de brochure had ik begrepen dat The Grove vooral een zakenhotel was, zodat het waarschijnlijk de eerste keer was dat de eetzaal versierd was met roze en goudkleurige ballonnen en een spandoek met VEEL GELUK EN WIJSHEID! boven een met bloemen versierd podium. Celeste holde van tafel naar tafel, op zoek naar onze plaatsen. 'Ik hoop dat we bij een ervaren miss zitten,' fluisterde ze tegen mijn moeder. 'Van een goeie miss kun je een hoop leren.'
We vonden onze tafel tegelijk met het meisje dat naast ons zat: McKenzie. Althans, de nep-McKenzie. Celestes gezicht betrok toen ze haar outfit zag.
'Hoi! Ik ben McKenzie!' zei ze. 'Dit is mijn moeder! Spannend, hè? Waar komen jullie vandaan?'
Haar opwinding grensde aan het manische. Niet de toon van een verveelde deelneemster die niks met missverkiezingen te maken wilde hebben. 'Ik ben Desi. Dit zijn Gracie en mijn moeder. En zij,' ik wees naar Celeste, 'is de toekomstige Miss Universe. Samen vormen we het Team Celeste.'
'Ik kom uit voor Fredonia County,' zei Celeste.
'O, leuk! Zijn jullie zussen?'
Celeste en ik snoven tegelijk. McKenzies moeder gaf haar dochter een klopje op haar hand. 'Ik heb je nog nooit zo

enthousiast gezien voor een verkiezing. Je probeert me toch niet in slaap te sussen, hè?' Ze lachte zenuwachtig. 'We gaan geen varkensbloed over de winnares heen gooien.'

'Wat? Nee! Dit is enig. O, moet je al die koffiebroodjes zien! Zulke grote heb ik nog nooit gezien!'

McKenzie kletste verder over het mooie servies en knappe missen. Haar moeder staarde haar aan alsof ze een buitenaards wezen was. Celeste geeuwde zichtbaar. Ik beet in een beboterde bagel en dacht al kauwend na.

Hoewel de kamer eruitzag alsof Barbie alles onder de glitters had gebraakt, was ik dolblij met deze klus. Invallen voor Millie was een routineklusje geweest, maar dit was belángrijk. Ik wist hoe leuk het was om stand-in te zijn en wilde dat de nep-McKenzie dat werk ook kon gaan doen. Zonder dat ze het wist, kon dit de belangrijkste dag van haar leven worden, en ik vond het heerlijk daarvan deel te kunnen uitmaken. Een gróót deel, en dat betekende dat ik haar enthousiasme moest proberen te temperen, want Miss nep-McKenzie had duidelijk hulp nodig.

Om te beginnen moest ze overal minder enthousiast op reageren. Dus toen de lichten even knipperden om aan te geven dat het programma was begonnen, liet ik mijn servet vallen en dook ik tegelijk met McKenzie onder de tafel om het op te rapen.

'Ik hou je in de gaten,' zei ik.

'Eh, oké.'

'Nee.' Ik schudde mijn hoofd. 'Ik observéér je.'

'Wacht. Je bedoelt dat je mij moet...'

'Sst. Ik geef je één goede raad,' fluisterde ik. 'Niet te veel praten. McKenzie vindt hier niks aan.'

'Dat weet ik, maar ik vind het zo spannend en...'

'Het gaat er niet om wat jij vindt, maar wat zíj vindt.'
'Oké. Goed. Maar heb je die fantastische tiara-ijssculptuur gezien?'
'Hou op.' Ik wees met twee vingers op mijn ogen en vervolgens op die van haar. 'Ik. Observeer. Jou.'
McKenzie beet op haar lip en knikte. Celeste schraapte haar keel en McKenzie en ik kwamen overeind en gingen weer op onze stoelen zitten.
'Welkom terug,' zei Celeste. 'Was het gezellig daarbeneden?'
'Meisjes, kijk eens.' Mijn moeder gaf me Gracie aan en maakte een hoofdgebaar naar het podium. 'Dat is Angie Swiftly. Wij hebben samen in het verkiezingencircuit gezeten. O, ze heeft duidelijk het een en ander laten doen. Ziet ze er niet geweldig uit?'
Angie Swiftly zag eruit alsof iemand een verrassingsfeestje voor haar had georganiseerd en ze haar gezicht niet meer in de normale stand kreeg. Een uur lang hield ze een blablaverhaal over positief denken, doorzetten en ervoor gaan. Iedereen glimlachte. Constant. Onophoudelijk. Terwijl ze praatten, terwijl ze luisterden. Zelfs wanneer ze kauwden. Zelfs hun wenkbrauwen glimlachten. McKenzie had de breedste glimlach.
Ik hield al haar bewegingen in de gaten en hoopte dat mijn eerste proefstand-in haar impulsieve gedrag zou kunnen beheersen en de wedstrijd tot een goed einde zou brengen.

12

Observeren is een passief woord, maar de daaropvolgende uren bracht ik allesbehalve passief door. Ik lette op Gracie, gaf haar te eten en verschoonde haar, en hield intussen Miss nep-McKenzie in de gaten. Ik kon niet bij het interview zijn – dat was alleen voor de jury – maar ik zag haar wel oefenen in de hal.

Iets wat de echte McKenzie nooit zou doen.

Ik observeerde haar tijdens de dansrepetitie, waar ze stralend stond te swingen.

Ook niets voor de echte McKenzie.

Maar nog geen uur voor de wedstrijd ging het mis. Iedereen haastte zich naar de kleedkamer voor de laatste voorbereidingen. Mijn moeder spoot zo veel haarlak op Celestes pijpenkrullen dat er een tiaragroot gat in de ozonlaag ontstond.

Gracie stak haar tong uit en trok een vies gezicht. 'Stout.'

'Ons bolleboosje.'

'Schat, je hoeft er niet bij te blijven, hoor,' zei mijn moeder. 'Fijn dat je ons wilt steunen, maar het is nu erop of eronder.'

'Helemaal mee eens, mevrouw Bascomb,' beaamde Celeste. 'Ik vraag me af of ze hier überhaupt mag komen.'

'Oké. Ik zal vast een paar plaatsen bezet houden. Ik wil natuurlijk wel vooraan zitten met mijn bordje CELESTE IS DE BESTE!'

'Desi, hou op.' Mijn moeder stak een schuifspeldje in Celestes haar. Ik keek nog een keer om me heen of ik McKenzie ergens zag. Ik had haar sinds de dansrepetitie niet meer gezien. Maar aangezien iedereen zich aan het optutten was, nam ik aan dat er geen vuiltje aan de lucht was, zolang ze zichzelf tenminste geen oog uitstak met een mascaraborsteltje.

IJdele hoop. McKenzie zat iets verderop te wippen op haar stoel terwijl mevrouw Lighthouse haar haren borstelde. En: haar highlights waren verdwenen! De nep-McKenzie had haar haren geverfd. McKénzies haren. De echte McKenzie zou wél highlights hebben als ze terugkwam en zou haar snelle verfbeurt moeten kunnen uitleggen.

'Ik ga nog gauw even iets lekkers voor Gracie halen.'

'Wacht, de schuifspeldjes zijn op,' mompelde mijn moeder binnensmonds. 'Wie heeft daar nu weer aan gezeten?'

'Ik vraag McKenzie wel even of ze er een paar over heeft.' Ik baande me een weg door de volle kleedkamer naar McKenzie. Ze slaakte een opgewonden gil toen ze mij zag. 'Spannend, hè? Ik vind het zo gaaf! Wacht maar tot je mijn avondkleding ziet!'

'Wat is er toch aan de hand?' vroeg mevrouw Lighthouse met een frons. 'Je zet me straks toch niet voor schut, hè? Dit is de laatste missverkiezing, dat beloof ik je.'

McKenzie gaf haar moeder een snelle kus op haar wang. 'Doe niet zo raar! Je zult trots op me zijn!'

'Mevrouw Lighthouse, kan ik McKenzie even spreken? Ik... eh... wil haar nog een paar tips geven.'

'Jullie voeren toch niets in jullie schild, hè?'

'Nee, mevrouw.'
'Nou, vooruit dan maar.' Mevrouw Lighthouse wuifde. 'Ik ga vast naar de zaal. Ik word hier te oud voor. Denk erom, geen flauwekul!'
Ik wachtte totdat mevrouw Lighthouse weg was en greep McKenzie toen bij haar arm. 'Wat heb je met je haar gedaan?'
'Stout,' zei Gracie. Bolleboosje.
'Je zusje is zo schattig! Je zou haar mee moeten laten doen met een verkiezing voor de kleintjes. Maar dan moet ze misschien eerst iets meer haar hebben.'
'Ze heeft genoeg haar. En zij heeft tenminste geen highlights! McKenzie, hoe kon je dat nou doen?'
'Ik heet geen McKenzie. Ik ben...'
'HOU JE MOND! Luister nou eens!' Ik slaakte een diepe zucht. Ik leek Meredith wel. 'We moeten praten. Ik wil je helpen.'
'Daar merk ik anders niks van.' McKenzie gaf een klopje op haar perfect getoupeerde haar. 'Ik kan het prima alleen af. Ik probeer dat arme kind alleen maar te hélpen. Vond je die highlights niet verschrikkelijk?'
'Het is niet de bedoeling dat je haar helpt.'
'Dat weet ik. Ik moet doen alsof ik haar ben. Maar ik mag haar toch wel een béétje helpen? Heb jij dat dan nooit gedaan?'
Ik balde mijn vuisten. Een koekje van eigen deeg. Maar ik hielp mijn stand-ins door te doen wat zíj wilden, ook al zeiden ze dat niet hardop. McKenzies persoonlijkheid bleek duidelijk uit haar profiel en ik wist zeker dat ze niet blij zou zijn met haar geverfde haar. Er is een verschil tussen iemand helpen en iemand dwarszitten.
'Oké. Alleen... ik zou wel wat minder hyper doen als ik jou

was. Haal eerst deze stand-inproef maar eens voordat je de wereld probeert te verbeteren.'
De lichten knipperden en over de intercom klonk een stem. 'Vanaf nu alleen nog deelnemers achter de schermen. Familie en coaches, gelieve naar de zaal te gaan.'
'Maak je geen zorgen.' McKenzie glimlachte breed. 'Ze zullen versteld staan!'
'Ze?' riep ik haar na terwijl ze wegliep. 'Je bedoelt je toekomstige werkgever?'
Ze gaf geen antwoord.

De wedstrijd begon op een pikdonker podium. De muziek, langzaam en dramatisch, zwol aan en ging over in een vuurwerk dat neerregende op de glimlachende deelneemsters. De meisjes maakten van hun dansje gebruik om te laten zien hoe getalenteerd en mooi ze waren en zetten hun beste beentje voor. McKenzie voegde zelfs nog een extra draai toe aan haar tweede pirouette. Hoe zou dat rare kind in het écht zijn?
Na drie minuten stierf de muziek weg en kwam de ceremoniemeester, een lokale radio-dj genaamd Danny Dakota, het podium op. Ik hoopte voor hem dat hij ervoor betaald kreeg; een vergoeding zou zijn strakke smoking en roze sjerp minder tragisch maken.
'Welkom bij de Miss Tiener-verkiezingen van Idaho. Mag ik u voorstellen aan... de deelneemsters van dit jaar!'
Een voor een paradeerden de meisjes naar de microfoon.
'Hallo! Ik ben Jennifer Walters uit Sun Valley! Ik hou van tennis en hoop op een dag dierenarts te zijn! Droom groot!'
'Hoi! Ik ben Celeste Juniper uit Fredonia County. Ik hou van puppies en heb een hoofdrol in een schooltoneelstuk.'

Ik kon haar wel een mep verkopen. Hoezo hoofdrol? Ze was een achtergrondfee. Wie probeerde nu wie na te apen?
Het ene meisje na het andere stelde zich voor, totdat McKenzie naar voren kwam.
Op dat moment zou ik willen dat ik mijn magie kon gebruiken. Of in haar huid kon kruipen om het van haar over te nemen. Alles om dit naamloze meisje de kans te geven het mooiste werk van de wereld te kunnen doen. Maar helaas had ik een andere taak, en dat was observeren.
Ik observeerde haar terwijl ze voor de microfoon ging staan, glimlachte en zei: 'Hallo! Ik ben McKenzie Lighthouse uit Sampson County. Ik werk met kinderen omdat ik denk dat ze onze toekomst zijn. Daarnaast speel ik elektrische gitaar!'
Dat was niet wat ze tijdens de repetitie zei. Tijdens de repetitie zei ze wat de echte McKenzie gezegd zou hebben: 'Ik heb een hekel aan nepwimpers en hou van scharrelkippen!'
Die kinderen-zijn-de-toekomst-onzin was geïmproviseerd.
Ik keek naar de juryleden die aan een lange tafel aan de zijkant zaten. Ze glimlachten allemaal.
Had ik haar kunnen tegenhouden? Nee, ik kon niets doen. Het was háár proeftijd, háár keuze. Ik mocht alleen toekijken hoe ze het deed. Jakkes. Met dit klusje bereikte ik niks. Maar ik moest toch íéts kunnen doen?
Toen de andere meisjes zich hadden voorgesteld, legde Danny Dakota uit op grond van welke criteria de finalisten waren gekozen. Hij zweeg even om de spanning op te voeren en zei toen: 'En dan gaan we nu bekendmaken met welke 8 van deze 44 jongedames we de avond gaan doorbrengen!'
'Om te beginnen... Celeste Juniper uit Fredonia County!'

Mijn moeder joelde. Ook al mocht ik Celeste niet, ik was blij voor mijn moeder dat haar harde werk vruchten had afgeworpen. Ik slaakte een enthousiaste kreet.
De volgende zes namen werden omgeroepen, waaronder het meisje uit het damestoilet, Willow. Danny zweeg weer even. 'En dan is er nog één naam over.'
De meisjes op het podium hielden tegelijk hun adem in, waardoor het leek alsof alle lucht uit de zaal werd gezogen. 'De laatste finalist is... McKenzie Lighthouse, Miss Sampson County!'
Niet best. Helemaal niet best. De echte McKenzie zou hier niet blij mee zijn! Stel dat haar moeder volgende keer weer een finaleplaats van haar verwachtte? Ik moest McKenzie achter de coulissen te spreken zien te krijgen. Ze mocht niet winnen, ook al moest ik daarvoor zoiets drastisch doen als haar avondjurk ruïneren. Als ze de verkiezing verloor, zou dat niet alleen voor beide McKenzies de hoofdprijs zijn, maar ook voor mij. Als de eerste proefstand-in die ik observeerde werd afgewezen, zou dat misschien gevolgen hebben voor mijn eigen toekomst bij Façade. Per slot van rekening had ik al eens voor het Hof van Beroep moeten verschijnen. Ik wilde niet nog meer fouten maken, alleen maar successen bijschrijven.
'Mam. Ik moet even naar de wc.'
Voordat mijn moeder bezwaar kon maken, liep ik het gangpad in. Achter de coulissen gleed ik bijna uit over de tranen van de afvallers. Ik stapte over de mascaravegen, in de hoop de kleedkamer van de finalisten te kunnen in duiken, maar de deur naar de gang was afgesloten. Er hing een bordje boven met de tekst: ALLEEN TOEGANG VOOR FINALISTEN. Alsof ze wisten wat ik van plan was. Ik stond in dubio:

moest ik achteroverleunen en de nep-McKenzie haar ding laten doen of moest ik ingrijpen? Valt eindigen bij de laatste acht onder de noodgevallen waarvoor ik Meredith mocht bellen?

Het kon in elk geval geen kwaad haar een sms'je te sturen. Hoewel, ik had wel te maken met Meredith, dus dat kon helemaal verkeerd uitpakken. Maar het was het risico waard. Het was iets anders dan Geneviève oppiepen. Meredith kon me negeren als ze wilde, en als ze ergens goed in was, was het daarin.

Desi: Hé Mer, ik vrees dat er hier moet worden ingegrepen.

Onmiddellijk ging mijn telefoon.

'Noem me nooit meer "Mer".'

'Je reageert er wel lekker snel op.'

'Ik was al aan de telefoon.'

Ik durfde te wedden dat ze haar prins aan de lijn had. In gedachten zag ik hem met zijn vingers trommelen terwijl hij wachtte tot Meredith klaar was met haar andere telefoontje. Ik vroeg me af hoe zijn vingers eruitzagen. Ik vroeg me af hoe híj eruitzag. Meredith is klein en fijn, het zou leuk zijn als hij ook klein was. Dan konden ze samen een minipony kopen en in een piepklein huisje gaan wonen, met buxushagen in diervormen in de voor...'

'Hé, Desi,' snauwde Meredith in de hoorn. 'Ben je daar nog?'

'Sorry. Die nep-McKenzie is finalist geworden. Ze wil winnen, maar de echte McKenzie wil dat absoluut niet.'

'Doet ze anderen fysiek pijn of praat ze haar mond voorbij over de agency?'

'Ze zitten nu in een afgesloten kleedkamer, maar dat verwacht ik niet.'

‘Voorkom dat ze bij de eerste drie komt. Die moeten namelijk meerijden op praalwagens en evenementen bijwonen. Daar zit onze klant vast niet op te wachten. Finalist worden is niet het einde van de wereld. De echte McKenzie zal niks te klagen hebben als ze wordt uitgeschakeld.’
‘Ik snap het.’
‘En Desi?’
‘Ja?’
‘We hebben het er nog wel over wat “in geval van nood” betekent.’
Ik vond een lege gang achter de schermen vanwaar ik goed zicht op de rest van het programma had. Niemand behalve de deelnemers mocht hier op dit moment komen – zelfs de moeders en coaches zaten in de zaal – maar ik moest in de buurt van McKenzie blijven voor het geval ze weer iets te enthousiast werd.
Celeste deed een monoloog uit *Our Town* en McKenzie zong ‘Over the Rainbow’ voor de talentenronde. De stand-in had het geluk dat McKenzie geen muziekinstrument bespeelde. Ik wist maar al te goed hoe rampzalig dat kon uitpakken. Daarna kleedden de meisjes zich snel om voor de laatste ronde, waarin ze in avondkleding vragen moesten beantwoorden.
Ik moest Celeste nageven dat ze er geweldig uitzag in haar perzikkleurige jurk met kapmouwtjes en wijde rok. En ook McKenzie zag er heel miss-achtig uit en haar glimlach was... beangstigend.
De jury deed me denken aan het Hof van Beroep, maar dan met meer haarlak. Op een sokkel naast de finalisten stond een vissenkom gevuld met briefjes met vragen erop. Danny Dakota paradeerde als een pauw naar het midden van het

podium en wendde zich met een ik-doe-niet-voor-niets-alleen-maar-radio-glimlach tot de zaal.
'De eerste vraag is voor Miss Georgia Marie Jones uit Teton County. Georgia Marie, ga je gang.'
Georgia Marie stak haar hand in de vissenkom en gaf het briefje aan Danny.
'Georgia Marie, als je één ding zou mogen meenemen naar een onbewoond eiland, wat zou dat dan zijn en waarom?'
Georgia maakte even met elk jurylid afzonderlijk oogcontact. 'Als ik zou stranden op een onbewoond eiland, zou ik... mijn land meenemen. Amerika is het beste land ter wereld, en ik geloof in vrijheid en het leven!'
Danny Dakota slikte een – ongetwijfeld – gemene reactie op haar domme antwoord in. Mijn land. Geniet van je achtste plaats, Miss Georgia Marie.
'Dank je wel, Georgia Marie. En God zegene Amerika.'
Danny Dakota schudde zijn kaarten. 'De volgende is Celeste Juniper uit Fredonia County.'
Celestes pakte met kaarsrechte rug en een glimlach naar de jury een vraag uit de vissenkom. Mijn moeder kon trots zijn.
'Celeste,' zei Danny, 'denk je dat in ons land sprake is van seksediscriminatie?'
'Of er in ons land sprake is van seksediscriminatie?' herhaalde Celeste langzaam de vraag – een trucje dat ze van mijn moeder had geleerd om tijd te winnen. 'Over die vraag zou ik uren kunnen praten...'
En toen zag ik het. De angst die over haar gezicht gleed. Ze had niets te zeggen. Celeste stond op het punt af te gaan en ik mocht daar getuige van zijn.
Drie seconden tikten weg. Celestes been wiebelde onder haar rok.

Als je bedacht hoe gemeen Celeste altijd tegen mij was, zou je verwachten dat ik haar graag de mist in zag gaan, maar dit was wel heel pijnlijk. En niet eens lekker pijnlijk, zoals wanneer je gekieteld wordt of te veel ijs hebt gegeten. Dit was erger dan erg. Er borrelde iets in me op dat vervolgens doorsijpelde in mijn hart, mijn geest, mijn traanbuisjes. Ik zou er alles aan doen om Celeste uit haar lijden te verlossen. Een slim antwoord, bedacht ik, zou beginnen met: *Ja, in ons land is sprake van seksediscriminatie, en deze missverkiezing is een goed voorbeeld dat sommige dingen als typisch iets voor vrouwen worden beschouwd. Tegelijkertijd doen er aan deze verkiezing meisjes mee...*

Mijn huid, buik, hoofd, vingers, alles tintelde. Dit was het juiste antwoord. Ik wist het. Ik moest alleen zorgen dat Celeste het ook wist.

Ze stond vlak bij het gordijn. Ik liep zo ver mogelijk naar voren als ik durfde en fluisterde haar naam.

Ze bleef met haar gezicht naar de zaal staan, maar keek even snel opzij. Ik stak mijn duimen omhoog en mimede het woord 'ja' om haar op gang te brengen. Ze liet haar kin nauwelijks zichtbaar zakken en begon te praten. Ik begon te beven. Zo intens waren mijn emoties. Of was het mijn... magie?

'Ja, in ons land is sprake van seksediscriminatie, en deze missverkiezing is een goed voorbeeld dat sommige dingen als typisch iets voor vrouwen worden beschouwd. Tegelijkertijd doen er aan deze verkiezing meisjes mee die morgen onze artsen of politieke leiders zullen zijn. Dat was vroeger geen keuze voor een vrouw, dus ik denk dat we in veel opzichten ver zijn gekomen en dat we onze vrouwelijkheid kunnen vieren zonder onze kwaliteiten te vergeten. Dank u.'

Nauwelijks zichtbaar liet Celeste haar schouders zakken terwijl ze terugliep naar haar plaats.
Jeetje Mina! Was dit echt gebeurd? Ze had precies het antwoord gegeven dat ik in mijn hoofd had. Hoe kon dat? Dit moest toch zeker magie zijn? Celeste las nauwelijks boeken, laat staan gedachten.
Ik werkte voor Façade, maar was in mijn eigen omgeving. En ik had die tinteling niet voor mijn stand-in gevoeld, maar voor Celeste. Ik had geen rouge gebruikt. Dus... hoe werkte die magie nu eigenlijk? Was dit het 'oproepen van je magisch potentieel' waar Geneviève het over had gehad? Ik keek naar de andere finalisten om te zien of zij de magie die in de lucht hing ook voelden, maar ze glimlachten alleen maar, als malle eppies. Ik zwaaide mijn armen van voor naar achteren. Wat een fantastische manier om iemand te kunnen helpen. Jammer genoeg had ik mijn magie aan Celeste verspild.
Vanaf haar plek op het podium wierp Celeste me een opgeluchte blik toe en mimede 'bedankt'.
Nou ja, 'verspild' was misschien een groot woord.
'De volgende is McKenzie Lighthouse uit Sampson County.'
Wat handig. Ik hoefde alleen maar te herhalen wat ik zojuist met Celeste had gedaan, alleen dit keer met een zwak antwoord, en McKenzie zou verliezen. Eind goed, al goed.
'Wat doe jij hier?' Een vrouw in een donkere werkoutfit en met een koptelefoon met microfoontje op haar hoofd trok me weg bij het gordijn. 'Doe jij mee aan de wedstrijd?'
'Nee.'
'Wat doe je hier dan?'
Danny Dakota las de vraag voor. 'McKenzie, als jij voor één dag iemand anders mocht zijn, wie zou je dan willen zijn en waarom?'

O, de ironie. Maar deze vraag was perfect! Ik dacht aan allerlei mogelijkheden. Eh... Britney Spears. Nee, te aardig. Attila de Hun? Te harig.
'Ik zou...'
De vrouw gaf me een niet al te vriendelijk duwtje in de richting van de deur. 'Als je nu niet weggaat, bel ik de beveiliging.'
De rest van McKenzies antwoord ontging me, maar ik kon haar nu toch niet meer beïnvloeden. Ik voelde niet de minste of geringste tinteling. Zo kon ik niets op haar overbrengen. Ik had ook geen idee hoe het me was gelukt om met Celeste te communiceren. Ik had gefaald. Juist nu had ik er voor McKenzie moeten zijn. Een overwinning voor de echte McKenzie zou de nep-McKenzie haar baantje kosten. Ze zou dan geen stand-in worden.
Ik sloop terug het theater in en hoopte van harte dat McKenzie een oliedom antwoord had gegeven op de vraag.

13

Danny Dakota zette een hoge borst op. 'Dames en heren, voor u staan acht beeldschone, getalenteerde en intelligente jonge vrouwen. Deze prachtige prinsessen vormen de toekomst!'
Het publiek applaudisseerde.
'Laten we gauw bekendmaken wie onze finalisten zijn. Willen de volgende vijf deelnemers een stap naar voren doen.'
'Willow Callaway, Celeste Juniper, McKenzie Lighthouse, Fiona Thuet en Kimi Clow.'
De vierde deelneemster, Fiona, werd vijfde. Wie deze McKenzie ook was, ze moest het missverkiezingencircuit in gaan. Haar toekomst als stand-in hing aan een zijden draadje.
'De vierde plaats en winnaar van de studiebeurs van vijfhonderd dollar is... McKenzie Lighthouse.'
Met betraande ogen nam McKenzie de rozen in ontvangst. Haar moeder, of beter gezegd, de moeder van de echte McKenzie, staarde naar het podium alsof ze water zag branden.
Gelukkig! Ze had de top drie niet gehaald. De echte McKenzie zou geen taken op zich hoeven nemen. Ze zou bij terugkomst een mooi bedrag en een gelukkige moeder aantreffen. De nep-McKenzie was weliswaar te ver gegaan omdat ze in

haar proeftijd dingen had veranderd, maar MP was een zeldzame eigenschap. Dat had ik Geneviève zelf horen zeggen en ik herinnerde me dat er tijdens mijn Niveau-1-training op de zeldzaamheid van MP was gewezen. Soms duurde het maanden voordat Façade een nieuwe melding kreeg op hun MP-radar. Waarschijnlijk konden ze niet al te kieskeurig zijn. Nep-McKenzie kon worden bijgeschaafd. Per slot van rekening had Façade mij ook een tweede kans gegeven.
'De derde plaats is voor... Celeste Juniper.'
Celeste nam de bloemen aan met een glimlach die geen moment van haar gezicht week, precies zoals mijn moeder haar had geleerd. Ik moet bekennen dat ik opgelucht was. Als Celeste had gewonnen, hadden we dat eeuwig moeten aanhoren.
'En onze nieuwe Miss Idaho Tiener is... Willow Callaway!'
Willow veegde een paar denkbeeldige tranen weg en liep met een overwinnaarsglimlach naar het midden van het podium. Toen de muziek ophield, druppelde het publiek het podium op. Celeste zag me en zwaaide naar me voordat ze zich met een glimlach tot iemand anders wendde. Ik had geen tijd om te bedenken wat het gebaar te betekenen kon hebben, want ik moest meteen op zoek naar McKenzie. Maar toen ik de coulissen in dook, werd ik bij mijn arm gegrepen.
'Snel. Ik krijg de kriebels van die meiden.' Meredith.
'O, zijn ze soms te mooi en aardig naar jouw smaak?'
Meredith leunde tegen een balk. 'Zo is het wel genoeg.'
'Dus mijn klus zit er alweer op? Ik heb geen sms'je of telefoontje ontvangen.'
'Dat is je dan zeker ontgaan door het gegil van die meiden. Brr... emóties.'
'Ik ga de stand-in nog even gedag zeggen.'

‘Kom mee naar buiten. Ik moet met je praten.’
De oktoberwind blies langs mijn armen zodra ik de achterdeur opende. We gingen op de trap zitten.
‘McKenzie is weg.’ Het peertje boven de deur verlichtte Merediths uitdrukkingsloze gezicht.
‘Je bedoelt de nep-McKenzie?’
‘Ja. Haar stand-in.’
‘O.’ De ijskoude wind schuurde over mijn huid.
Meredith rilde niet eens in haar chique, mouwloze koltruitje.
‘Is ze nu op weg naar de agency?’
‘Ja, ze wipt daar even langs.’
Ik zuchtte. ‘Je moest eens weten hoe blij ik ben. Observeren is moeilijk, je kunt namelijk niks dóén. Het is het tegenovergestelde van stand-in zijn.’
‘Het tegenovergestelde van jouw invulling van het stand-in zijn. Miss Impact,’ zei Meredith.
‘Ik ben blij dat ze het toch gehaald heeft. Ga jij haar Niveau-1-training geven, of iemand anders?’
‘Desi, ze moet langs de agency om gehersenspoeld te worden.’
Er liep een koude rilling over mijn rug, en dat kwam niet door de wind. Wat ik wist over het hersenspoelen van stand-ins was niet zo fraai: alle herinneringen aan Façade werden uitgewist. Als ik niet door het Hof van Beroep was vrijgesproken, had ik hetzelfde lot moeten ondergaan. Ik kon me niet voorstellen hoe het was als je alles over magie wist, en hoe het werd gebruikt, en dat je dan terug moest naar je gewone leventje alsof deze wereld nooit had bestaan. ‘Waarom... waarom zouden ze dat doen?’
‘Omdat ze het niet heeft gehaald. En we willen haar geen herinneringen als souvenir meegeven.’ Meredith opende

haar tasje en stopte een Tic Tac in haar mond. 'Jij ook één?'
Ik duwde haar uitgestoken hand opzij. 'Wacht eens even. Ze is dus gewoon terug naar huis?'
'Ja. Ze was slechts op proef.' Ze deed haar tasje dicht. 'Sommigen gaan door, de meeste niet.'
'Ongelofelijk.' Ik wreef met mijn handen over mijn armen. 'Dus ik heb gefaald.'
'Nee, hoor. Jij hebt het goed gedaan. Je hoefde haar alleen maar te observeren. Je kunt iemand niet dwingen zich op een bepaalde manier te gedragen. Als dat wel zo was, zouden wij half zo veel problemen hebben.'
'Neem je haar echt niet aan? Maar... maar ze was gewoon iets te enthousiast. Dat slijt vanzelf. Ze heeft het hart op de goede plaats. En iemand zomaar in een missverkiezing plaatsen is ook niet makkelijk.'
'Zoveel van wat stand-ins moeten doen is niet makkelijk. Dat is de bedoeling van de test. We plaatsen jullie in een dergelijke situatie om te zien of jullie problemen kunnen oplossen en voor de vuist weg kunnen praten. Jij hebt die test prima doorstaan. Ik ook. Dat komt niet vaak voor, maar zo weten we wel dat we de beste stand-ins binnenhalen.'
'Dus ze heeft het niet gehaald en is alweer weg.'
'Adios. Laten we er niet al te moeilijk over doen. Ik heb op kantoor al genoeg aan mijn hoofd. Lilith slijmt bij iedereen die haar kan helpen met haar promotie. Maar ik moet aardig blijven, anders kan ik het vergeten. Bovendien zijn ze spelletjes aan het verzinnen voor Genevièves verjaardag. Spélletjes. Als Specter dit jaar de aardappelzakrace wint, krijgen wij dat natuurlijk...'
'Hou op!' Ik keek haar vertwijfeld aan. 'Je doet net of het je koud laat dat McKenzie niet is aangenomen.'

'Ik was even vergeten hoe gevoelig je bent. Maar ik heb tientallen meisjes meegemaakt die niet door de test zijn gekomen. En maar goed ook, want ze zouden een gevaar opleveren voor Façade. Ze herinnert zich er niets meer van. Zeker niet zodra haar magisch potentieel verdwenen is...'
'Wat bedoel je met "zodra haar magisch potentieel verdwenen is"? Waar blijft dat dan?'
Meredith stond op en klopte haar grijze broek af. 'Doe niet zo moeilijk. Dat is jouw probleem niet. Ga nu maar terug naar je moeder en dan zie ik je zodra je bijgespijkerd bent voor–'
'Dat kunnen jullie niet maken... Jullie nemen haar MP toch niet af, hè?'
'We bewijzen de stand-in... de maatschappij een dienst.' Een windvlaag blies een plastic zak om Merediths voet. Ze keek omlaag en schopte hem weg. Zelfs levenloze dingen voelden zich door haar geïntimideerd. 'Vroeger wisten we alleen het geheugen en niet het MP. Dat was dom. De geschiedenis van Façade is vergeven van de afgewezen stand-ins die hun magie misbruikten. Er was ooit een stand-in – Jericho – die werd ontslagen omdat ze jarenlang juwelen van haar klant had gestolen. Eenmaal thuis werd ze de beruchtste dievegge ter wereld: ze kon een bank binnen lopen en loketbeambten zover krijgen haar te geven waar ze om vroeg. Niemand wist hoe ze dat voor elkaar kreeg. We hadden het vermoeden dat ze zich genoeg van Façade herinnerde om haar MP te kunnen oproepen. Dus je hoeft niet zo'n toon aan te slaan. Geloof me, die nep-McKenzie zal haar MP niet missen. Die verantwoordelijkheid kun je beter overlaten aan mensen die ermee kunnen omgaan.'
'Volgens Geneviève hebben al die vreemde gevoelens die ik

thuis heb niets te maken met magie. Magie is alleen op te roepen als de stand-in rouge op heeft. Dus kan het er niets mee te maken hebben dat die Jericho een magisch verleden had. Ze was gewoon een gluiperige dievegge. Haar misdaden en magie hadden niets met elkaar te maken.'
'Jawel, hoor. Ik kan bijna niet geloven dat jíj daar anders over denkt.' Meredith richtte de antenne van haar telefoon op de grond en meteen verscheen er een trillende zeepbel aan het uiteinde. Zonder me aan te kijken, vervolgde ze: 'Maar we houden erover op. Ik neem spoedig weer contact met je op.'
'Nee! Ik wil antwoord op mijn vragen.'
'Dan moet je de juiste vragen stellen, schat. Doei-doei.'
Ik rukte de theaterdeur open en liet hem met een klap achter me dichtvallen. De missen, die met elkaar stonden te kletsen, keken geschrokken op.
'Sorry, ik moest even een frisse neus halen.'
Toen ik via de trap aan de zijkant ongezien het theater probeerde uit te glippen, zag ik mijn moeder naar me zwaaien.
'Desi! Waar zat je?'
'Ik heb een backstagepasje.'
'Hier. Neem jij Gracie mee terug naar de zaal. Celeste moet persfoto's laten maken.'
Gracie legde haar hoofd op mijn schouder en geeuwde. Ik liep met haar naar de lift en drukte met mijn duim op de knop. McKenzie en haar moeder merkten me amper op toen de deuren openzoefden en ik met Gracie de lift in stapte. Mevrouw Lighthouse bekeek de felgekleurde highlights in het haar van haar dochter.
'Ik begrijp echt niet hoe je nu alweer highlights kunt hebben,' zei mevrouw Lighthouse.

‘Ik zei toch dat het uitwasbare highlights waren?’
‘Maar je hebt je haar niet gewassen.’
‘Nieuwe formule. Wat maakt het uit. Laten we het over iets belangrijkers hebben. Zoals hoe ik in de top vijf terecht ben gekomen. Dat was helemaal niet de bedoeling.’ McKenzie keek chagrijnig naar de rozen in haar hand, alsof het een bos onkruid was. ‘Wat een flauwekul.’
‘Je was betoverend vanavond.’ Mevrouw wuifde zichzelf koelte toe alsof ze op het punt stond in huilen uit te barsten. ‘Volgens mij gaan ze nog veel van je horen.’
‘Als iemand wat van me hoort, is het die stomme stand-in.’
Mevrouw Lighthouse kletste door alsof ze haar dochter niet had gehoord. ‘Ik ben zo trots dat je niets oneerbaars hebt gedaan. Ik heb je geen enkele keer horen vloeken op het podium.’
‘Dat heb ik opgespaard voor later.’ De lift stopte op hun verdieping. McKenzie gooide haar rozen op de grond en stampte de lift uit.
Gracie hief haar hoofd op en wees op de rozen. ‘Stout?’
Ik kuste haar op haar voorhoofd. Ons bolleboosje.
Toen ik op mijn kamer kwam, legde ik mijn zusje in bed en zag ik dat ik een sms’je van Kylee had: En, is er nog een miss in een weerwolf veranderd?
Ik wou dat Kylee hier was. Ik had iemand, of iets, nodig om mijn gedachten te kunnen verzetten. Maar wat ik ook probeerde, ik moest steeds aan Merediths ontwijkende antwoorden denken.
Er waren duidelijk kanten aan magie en Façade waar ik niets van wist. Ik zou willen dat alles even fris en *glamorous* aan de agency was als de receptiehal, maar nu McKenzie niet was aangenomen, begonnen me de vieze vlekken op te vallen.

Als het klopte wat Meredith zei, kon magie overal worden opgeroepen. Dan was voor Façade werken geen vereiste. Dan had ik geen rouge nodig. Voordat ik voor Façade werkte, had ik soms het gevoel gehad tot iets groots in staat te zijn, een gevoel dat heviger was geworden tijdens de toneelrepetitie. Op een of andere manier zat de magie ín mij.
Maar waarom zou Façade dat geheim willen houden? Wilden ze echt voorkomen dat ik ging stelen of de wereld zou overnemen? Volgens Meredith gebeurde het uit veiligheidsoverwegingen, maar Façade bracht stand-ins doorlopend in gevaarlijke situaties: vliegende zeepbellen, lastige koninklijke omstandigheden. Als ze mij genoeg vertrouwden om me aan te nemen en Façades bestaan te onthullen, waarom zouden ze dan zo geheimzinnig doen?
Niet dat ik bang was dat Façade kwaad in de zin had. Iedereen was vriendelijk tegen me, behalve Lilith. Zelfs Meredith was onder haar gladde uiterlijk eerlijk en meelevend. Ik had eerder het gevoel dat er een stukje van de puzzel ontbrak. Façade probeerde de magie in de wereld onder controle te houden door mensen die er op een verkeerde manier mee omgingen hun MP te ontnemen. In dat geval werd het zonder toestemming van de stand-in gewist. Ze hadden geen magisch monopolie; het was duidelijk dat magie ook buiten de rouge, zeepbellen en royals bestond. Ineens viel het kwartje. Geneviève wist dat en had mij haar kaartje gegeven zodat ze me kon controléren. Dat veranderde de zaak. Ik zou mijn ervaringen voor mezelf houden.
En uitzoeken hoe ik die magische momenten kon oproepen.

14

De weken daarop bracht ik veel tijd in mijn slaapkamer door. Mijn moeder vroeg of ik uit mijn doen was door de missverkiezing en of ik er misschien over wilde praten. Ik wilde niets liever dan praten, maar ik wist niet met wie. Niemand in mijn gewone leven thuis mocht over Façade weten, en van de mensen bij Façade wist ik niet met wie ik nog kon praten.

Ik kon op twee manieren antwoord op mijn vragen proberen te krijgen. De meest voor de hand liggende was een nieuw klusje in de wacht slepen. Daarom verdiepte ik me in van alles en nog wat. Modebladen, blauwdrukken van jachten, basisnaaivaardigheden. En als ik daar niet mee bezig was, bereidde ik me voor op het toneelstuk. Ik had tijdens het repeteren twee keer een tinteling gevoeld. Om die magie te kunnen begrijpen, moest ik erachter zien te komen waardoor het werd opgeroepen.

Sinds de missverkiezing was er een maand verstreken. Iedereen was inmiddels redelijk tekstvast en de scènes begonnen vorm te krijgen. We werkten nu vooral aan onze handgebaren en gezichtsuitdrukkingen. De nuánces, zoals mevrouw Olman dat noemde.

Tot mijn opluchting hoefde ik me geen zorgen te maken over de kus. Reed droeg een ézelskop. Een echte kostuumkop.

Mevrouw Olman had hem besteld bij een gespecialiseerd bedrijf in Shakespeare-kostuums. Dat klinkt indrukwekkend, maar het was een reusachtig gevaarte. De eerste keer dat Reed hem op moest, was ik blij dat ik een fee was. Dat was trouwens niet de enige reden; ik had de kostuummakers geholpen met een paar ontwerpideeën voor mijn jurk en hoopte dat mijn inspanningen zouden meetellen voor mijn BEST. De zoom van de rok was versierd met fantastisch mooi borduurwerk dat schitterde in het podiumlicht.

Maar Reed? Die zag er dus belachelijk uit. En dat was een probleem. Het bleef lastig de scène te spelen omdat hij moeite had met het gewicht van de ezelskop.

'Je moet je bewegingen overdrijven,' fluisterde ik tegen hem toen mevrouw Olman de hulpfeeën (onder wie Celeste, die wel een toontje lager mocht zingen nu ze tegen iedereen had gezegd dat ze práktisch Miss Tiener Idaho was geworden) voordeed hoe ze met hun vleugels moesten fladderen. 'Je hebt geen gezicht om betekenis mee uit te drukken.'

Reed draaide zijn kop opzij. Ik nam aan dat hij me aankeek. 'O, heb jij dan al eens met een ezelskop op geacteerd?'

'Nee. Maar ik heb wel een baantje als bosmarmot gehad bij een dierenwinkel. Ik weet hoe zwaar zo'n ding kan worden. Het publiek mag dat niet merken, want het moet lijken alsof het je eigen hoofd is. De magie die je in een ezel heeft veranderd, heeft je natuurlijk ook sterkere nekspieren gegeven.'

'Wat weet jij nou helemaal van magie?'

Ha. Hahahahahaha. HA. 'Hé! Ik heb jouw raad ook opgevolgd, hoor. Je hoeft mijn kop er niet af te bijten omdat die van jou toevallig zo... groot is geworden.'

De feeën fladderden om ons heen. Mevrouw Olman klapte

ritmisch in haar handen. 'Een achtste maat, dames. Het is een dans. En Celeste, doe die kauwgom uit je mond!'
'Sorry.' Reed trok de ezelskop af. 'Zo bedoelde ik het niet. Het voelt normaal veel... natuurlijker als ik iemand anders speel.'
'Het is juist leuk als je het een beetje stuntelig speelt.'
'Stuntelig. Ik snap het.' Hij wreef door zijn statische haar. 'Ik kwam je vriendin Kylee gisteren tegen bij het tankstation.'
Dat wist ik al. Natuurlijk wist ik dat al. Kylee had me gebeld en elke seconde van hun ontmoeting uit de doeken gedaan. In totaal twee minuten, tot en met de chocoladereep die hij kocht. Ze had tien woorden tegen hem gesproken. Een record. In dit tempo zouden ze na het eindexamen een heel gesprek voeren.
'O, leuk.'
'Ik dacht... misschien kunnen we een keer met z'n drieën afspreken.'
Ik rilde even toen hij het zei, maar probeerde er niet op te letten. Ik vond Reed leuk. Niet leuk in de zin van léúk, maar ik keek er altijd naar uit lol met hem te kunnen maken tijdens de repetitie. Ik zou niet weten hoe ik de repetities zonder hem had moeten doorkomen. Het zou leuk zijn ook buiten school met hem te kunnen omgaan. Samen met Kylee natuurlijk.
'Is dat een idee?' vroeg hij. 'Ik voel me nog steeds nieuw hier, en heb het zo druk met mijn baantje dat ik vergeten heb het echte Sproutville te verkennen.'
'Je hebt het tankstation al gezien. Dat is een belangrijke trekpleister.'
Reed nam zijn ezelskop steviger onder zijn arm. 'Ze hebben hier wel lekkere donuts.'

‘Dat is waar. Kylee zou het geweldig vinden.’ Ik zweeg. Oeps. Hij moest niet denken dat ze hem overdréven leuk vond. Ook al was dat wel zo. ‘... en ik ook. Wij allebei. We zullen je de leukste geheime plekjes laten zien.’
‘Nog leuker dan Mark Twains huis?’
‘Reken maar.’
‘Jongens toch!’ riep mevrouw Olman. Haar stem echode door het theater. Een van de feeën in mijn hofhouding leek bijna in tranen. ‘We vóélen het vandaag niet. We gaan niet ver genoeg, of beter gezegd, niet diep genoeg. Kom eens allemaal hier op het podium zitten.’
Iedereen schuifelde dichterbij. Niemand ging zitten.
‘Ik zei zítten!’ bulderde mevrouw Olman.
We gingen allemaal tegelijk zitten. De vloer kraakte.
‘Jij daar.’ Mevrouw Olman wees op mij. ‘Desi. Kom eens hier staan.’
Ik wisselde een snelle blik met Reed, die een hand voor zijn grijns sloeg.
‘Een beetje opschieten, alsjeblieft. Straks mag je naar je ezeltje lonken.’
Ik voelde mijn wangen gloeiend heet worden terwijl ik naast mevrouw Olman ging staan. Ik lonken? Naar Reed? Dat nooit. Nou ja, laat ook maar. Lonken was toch iets anders dan het telepathisch met elkaar eens zijn dat ze haar roeping als brulkikker had gemist.
‘Vertel eens, Desi. Ben je wel eens verliefd geweest?’
De rest van de cast grinnikte. ‘Eh... ik ben pas dertien. Bijna veertien.’
‘Bijna veertien. Even oud als Julia dus, een van de meest tragische heldinnen van het theater.’
‘Tragisch omdat ze gek was,’ mompelde ik.

'Wat zei je? We zijn hier in het theater. Gebruik je stem.'
'Eh... Julia pleegde zelfmoord om een of andere stomme jongen die ze pas een week kende. Dat noem ik geen liefde.'
'Dat is geen antwoord op mijn vraag.'
Ik liet mijn hoofd zakken. 'Ik heb wel eens een jongen leuk gevonden.' Ik dacht aan Karl. Natuurlijk dacht ik aan Karl. Maar ik begreep ook dat mijn gemengde gevoelens voor Karl niets voorstelden vergeleken bij een Shakespeare-tragedie. Ik kende hem amper. Ik zou geen zelfmoord plegen voor hem. En ik was pas dértien. Als Julia tijdens dat gedoe met Romeo even oud was als ik, was ze niet goed wijs. Ik begreep best dat ik veel te jong was om van iemand eeuwige liefde te eisen. Iemand leuk vinden. Verliefd zijn. Daar had ik meer mee. 'Maar ik ben geen Julia.'
'Daar gaat het nou net om. Je moet haar wórden. Jullie allemaal. Je moet uitgaan van je eigen emoties, ook al zijn die niet zo sterk als die van je personage, en die ten volle benutten. Ik weet ook wel dat niemand van jullie ooit zo jaloers is geweest dat hij zoals Othello een moord zou plegen. Maar de basis van die emotie is hetzelfde. Probeer je het voor te stellen. Vóél het. Oké. Reed, kom jij ook eens hier. Mét ezelskop.'
Reed zette met veel show zijn ezelskop op en botste tegen me op alsof hij me niet zag. 'Oké. Desi, sluit je ogen. Denk aan een jongen die je leuk vindt. Houd dat beeld van hem in gedachten. Lukt dat?'
Ik sloot mijn ogen en meteen werd het beeld van Reeds ezelkop vervangen door dat van Karl in de tuin. 'Ja.'
'Hou je ogen dicht. Vertel die jongen wat je voor hem voelt, maar zeg het tegen Reed.'
'Ik hoop...' Ik keek stiekem met één oog. Reeds ezelgezicht

keek op me neer. Ik schoot bijna in de lach. 'Ik hoop dat jij me net zo leuk vindt als ik jou.'
'Ik hoor geen emotie!' Mevrouw Olman stak haar vuist in de lucht. 'Probeer het nog een keer.'
Ik zuchtte. Nog één kans om iets tegen Karl te zeggen. Wat zou ik hem willen zeggen?
De hele cast keek naar mij en wachtte op mijn spel. Het werd tijd dat ik de magie uit mijn hoge hoed toverde. Nu. Abracadabra. Het kon nu elk moment gebeuren.
Karl, ik hou van je. Nee. Karl, ik mag je. Nee. Zoiets werkte niet bij Karl. Misschien omdat ik wist dat ik nooit zoiets tegen hem zou zeggen. Niet als ik mezelf was.
Karls gezicht vervaagde en ineens zag ik Reed voor me. Ik stelde me zijn gezicht onder de ezelskop voor en wist dat hij glimlachte. Hij glimlachte namelijk altijd. En hij had waarschijnlijk lachrimpeltjes in zijn ooghoeken. Misschien likte hij over zijn lip. Dat deed hij altijd voordat hij iets grappigs zei, alsof hij de woorden eerst wilde proeven. En toen voelde ik een heel klein vonkje, of zeg maar gerust een vónk in mijn tenen...
Wacht eens even. Waar kwam dát nou weer vandaan?
Ik knipperde met mijn ogen totdat het beeld verdwenen was, en weg was mijn concentratie. Geen opbloeiend hart, geen liefdesverdriet en overgave. Niets. Geen magie. Geen gevoelens. Ik zag de lippen van de jongen op wie mijn beste vriendin een oogje had niet voor me. Niets. Helemaal niets.
Ik besefte dat ik iets moest zeggen. Ik schraapte mijn keel en zei: 'Eh... ik vind je heel erg leuk.'
Mevrouw Olman gooide haar handen in de lucht. 'Nee! Ik wil emoties zien. Emóties!'

Ik slikte en knikte. Ik was bang dat mijn stem zou overslaan als ik iets zei.
'Oké, Reed. Nou jij. Heb je iemand in gedachten?'
'Voller is toch niet degene die verliefd is? Ik bedoel, behalve dat ik verliefd op mezelf ben?'
'Heb je zo iemand gekend?'
'Hele volksstammen.'
'Oké, vóélen dan.'
Reed zei zijn regel op. Het klonk hoogdravend, ijdel én aardig. Hij leek meer op Voller dan welke andere acteur ook. Het was perfect.
'Oké, Desi. Ik wil dat je Reed op zijn ezellippen kust alsof hij je geliefde is.'
'Ik zei toch dat ik niet weet wat lief...'
'Oké. Denk aan een jongen op wie je verliefd bent. Maakt niet uit wie. Kus Reed op die manier. Denk maar niet aan het bont.'
Ik boog me naar hem toe en kuste hem vol op zijn neplippen. De cast grinnikte. Ik aaide hem over een oor. De cast lachte. Als ik niet magisch kan zijn, dan maar komisch.
Mevrouw Olman wees op de feeën. 'Hebben jullie dat gezien? Dat is acteren. Jullie kunnen weer gaan zitten. Demetrius. Jouw beurt.'
Reed trok zijn ezelskop af. 'Wat heb jij toch? Je kunt veel beter dan dit.'
'Het ging heel goed.' Ik staarde voor me uit.
'Maar je kunt nog veel beter.'
Ik keek hem met een frons aan. 'Wie is hier nou de regisseur?'
'Ik zeg alleen wat mevrouw Olman zei.'
'Misschien kan ik dan beter naar "mevrouw Olman" luisteren.'

'Je bent boos omdat je weet dat ik gelijk heb.' Hij fronste zijn voorhoofd. 'Je doet niet genoeg je best.'
'Ik doe niet genoeg mijn bést?' Ik stond op. De rest van de cast keek naar me, maar daar zat ik niet mee. 'Ik doe niets anders dan mijn best. Sorry dat we niet allemaal zo goed zijn als jij. Sommigen van ons kunnen gewoon niet zo goed... liegen als jij.'
'Acteren is geen liegen. Acteren is de waarheid laten zien.'
'Mij best. Dan ben jij er goed in en ik niet.'
'Dat zei ik niet. Doe niet zo kinderachtig.'
Ai. Ik wist dat ik me kinderachtig gedroeg, maar dat maakte me niks uit. Bovendien was het veel makkelijker om boos te zijn op Reed dan... dan wat ik eerst was. En waarom was die lichte tinteling in mijn tenen, dat eerste beetje magie dat ik had gevoeld sinds ik thuis was, trouwens zo snel weggezakt? Had ik daar zelf dan niets over te zeggen? Ik had iemand nodig die me uitlegde hoe die stomme magie werkte.
'Ik zít ook nog maar in de onderbouw. Het spijt me dat ik nog niet zo volwassen ben als jij.'
'Desi, het spijt me. Ik wil je alleen maar helpen.'
'Nou, stop daar dan maar mee. Als je me wilt helpen, zeg dan niet wat ik moet doen.' Ik draaide me om, liep het podium af en ging in de zaal zitten. Zodra de repetitie voorbij was, glipte ik naar buiten en stapte bij mijn moeder in de auto voordat Reed de kans kreeg me nog meer van mijn stuk te brengen.

15

Na die vreemde kus op de ezelskop bleef ik bij Reed uit de buurt en praatte tijdens de repetitie alleen met hem als het echt niet anders kon. Ik zat niet te wachten op nog meer acteertips, karakteranalyses of verwarrende gevoelens. En ik wilde zeker niet alleen zijn met de jongen op wie mijn beste vriendin een oogje had.

Daarbij had ik mijn nieuwe BEST-programma om me druk over te maken. Echte prinsessen gedroegen zich niet zoals in sprookjes, maar dit zag ik ze ook niet doen. Het moest een vergissing zijn.

In het sms'je dat ik van Meredith kreeg stond alleen:

> **Meredith:** Hoi, voeg leren rolschaatsen aan je BEST-programma toe. Vertrouw me maar.

Rolschaatsen.

Hoewel ik niet alle taken die ik voor Millie onder de knie moest krijgen had hoeven gebruiken, begreep ik dat het handige vaardigheden waren voor een stand-in. Ik had vier verschillende landen bezocht, maar nergens had ik een prinses zien rolschaatsen. Maar alles beter dan een menuet, dus ik besloot het te proberen, vergissing of niet. Een voordeel was ook dat Kylee me niet vreemd aankeek toen ik vroeg of ze zin had om mee te gaan. Sterker nog, het was de normaalste vraag in lange tijd.

Mevrouw Olman annuleerde de donderdagrepetitie – de dag voor de première – zodat we ons hoofd konden vrijmaken. En hoe kon dat beter dan door de avond ervoor te rolschaatsen op de rolschaatsbaan bij de basisschool? Kylee en ik konden er onszelf zijn en we hoefden ons niet druk te maken over wie er waren of over het feit dat we allebei niet konden rolschaatsen. De enigen die ons zagen waren leerlingen uit groep zeven en acht.

Bij Crystal Palace schalde de muziek uit de boxen. We huurden rolschaatsen, die we op een bankje aantrokken. Maar toen ik probeerde op te staan, greep Kylee me bij de arm. 'Ik heb nog nooit op rolschaatsen gestaan. Misschien kunnen we beter nacho's gaan eten.'

'Je moet alles een keer proberen.' Om te voorkomen dat ik mijn evenwicht zou verliezen, drukte ik het remblok van mijn rolschaats tegen de grond. 'Kijk wel uit dat niemand tegen je op knalt als je valt.'

'Kun je mij uitleggen waarom je je viool hebt verruild voor rolschaatsen?' Kylee controleerde voor de derde keer haar veters.

'Omdat ik alleen mezelf pijnig als dit niet lukt. Als ik viool speel, pijnig ik anderen, dat wil zeggen, hun oren. En dit is leuk.' Leuk voor een onbekende, modeverslaafde prinses. De muziek hield op en de dj verzocht rolschaatsers van acht jaar en jonger zich op te stellen voor de wedstrijd. Een jongen in een scheidsrechterspak rolschaatste naar het midden van de baan en floot op zijn fluitje naar een kind dat wilde voordringen. Toen hij zag dat ik toekeek, zwaaide hij naar me.

Ik dook ineen. 'Je hebt gelijk. Dit slaat nergens op. We halen wat nacho's en gaan naar huis.'

'Ik maakte maar een grapje. We hebben al betaald.'

'Ik betaal je wel terug,' zei ik. 'Als je nu meteen meegaat.'
'Waarom wil je–' Kylee zag de scheidsrechter en werd vuurrood. 'Desi. Niet meteen kijken. Je raadt nooit wie de scheidsrechter is.'
'Wedden van wel?'
'Het is Reed.'
Ik keek weer even zijn kant op. Hij had het fluitje tussen zijn lippen.
Ik wilde niet aan zijn lippen denken. 'O ja?'
'Dus al die vakantieweken dat we hem niet zagen, was hij gewoon híér? Als ik dat geweten had, had ik me voor kunnen bereiden.' Ze streek de korte haren boven haar slaap achter haar oren. 'Ik zie er niet uit. En ik kan helemaal niet rolschaatsen. Wat nu?'
'Zullen we weggaan?'
'Echt niet. Mijn karma zegt me dat ik moet doorzetten. Als het me nu niet lukt, is dat een teken.'
'Een teken waarvan?'
'Dat ik mijn tijd verdoe. Als ik niet met hem kan praten, waarom zou ik dan al die moeite doen? Ik heb het nooit moeilijk gevonden om met anderen te praten. Ik wil niet in stilte verliefd zijn, zoals jij op Hayden.' Ze boog voorover en gaf me een kneepje in mijn knie. 'Niet kwaad bedoeld, hoor.'
'Hé.' Ik gaf een tik op haar hand. 'Er is best iets te zeggen voor een stille verliefdheid.'
'Maar niet op de verkeerde jongen. Maar nu even serieus. Dit is heftig.' Kylee haalde een flesje lotion uit haar tas en begon haar handen in te smeren. 'Kijk even of ik niets tussen mijn tanden heb zitten.'
Reed blies op zijn fluitje en terwijl de muziek weer startte, vlogen de jongste deelnemers over de baan. Reed rol-

schaatste naar een gefrustreerd jongetje dat almaar viel. Hij fluisterde iets in zijn oor, nam hem bij de hand en ging samen met hem de finish over.
Kylee friemelde aan haar T-shirt. Ikzelf probeerde ook kalm te blijven. Dit was de eerste keer dat ik Reed buiten de repetities zag sinds mijn uitbarsting. Ik wist dat mijn koele gedrag hem dwarszat en misschien wel gekwetst had. Hij was er zelfs een keer over begonnen, maar toen ik deed alsof er niks aan de hand was, snapte hij de hint en hield hij het contact luchtig en oppervlakkig. Soms maakte ik per ongeluk een grapje, maar meestal gedroegen we ons zoals op de dag van de audities. Ik vond het prima zo. Ik wilde niet dat hij commentaar gaf op elke stap die ik zette. Of dat hij de betweter uithing. Of dat hij zo dicht bij me kwam staan dat ik die frisse Reed-geur van oceaan en zeep rook.
Toen de wedstrijden voorbij waren en er weer dansmuziek klonk, rolschaatste Reed naar de rand van de baan en leunde op de reling. 'Eerst zeg je nauwelijks een woord tegen me op de repetities en dan kom je me stálken op mijn werk?'
'Nee, hoor.' Ik liet mijn hand over de reling glijden. 'Ik wist niet eens dat je hier werkte.'
'Al sinds we hier in juni zijn komen wonen.'
Kylee opende haar mond alsof ze iets wilde zeggen, maar klemde haar kaken toen weer stijf op elkaar. Haar karma was niet al te aardig voor haar.
'Ik heb hier nog nooit een bekende gezien. Of ze moesten toevallig hun broertje komen ophalen,' zei Reed. 'Dus leuk dat jullie er zijn! Kunnen jullie goed rolschaatsen?'
Kylee keek naar haar gehuurde rolschaatsen. 'Ik heb het nog nooit gedaan.'
'Echt niet? Het is heel gemakkelijk. Zal ik het je leren?'

‘Eh...’ Kylee werd vuurrood, en het leek of er geen eind aan haar ‘eh’ kwam. ‘Jaaa. Ja. Graag.’
Reed stak haar zijn hand toe, waarna Kylee voorzichtig de baan op stapte. Met een verhit gezicht draaide ze zich naar me om en glimlachte. Reed loodste haar verder de baan op, zijn ene hand in de hare, de andere druk gebarend terwijl hij tegen haar praatte. Ik keek hen na. Ik was blij voor Kylee dat ze eindelijk de kans kreeg met Reed te praten, en nog blijer voor mezelf dat ik niets meer tegen hem hoefde te zeggen.
Vervolgens beeldde ik me in dat ik een tiara op mijn hoofd had en een jurk droeg die om mijn enkels wapperde en begon ik aan mijn rondje rolschaatsen voor mijn geheime koninklijke klant. Hoe meer rondjes ik reed, hoe meer zelfvertrouwen ik kreeg en hoe harder ik ging.
Drie rondjes later vloog Kylee langs me heen, tegen een muur op.
‘Au!’ gilde ze. Ze rolde op haar rug, met haar benen omhoog, als een aangereden hinde. ‘Au!’
Reed en ik haastten ons naar haar toe. Hij knielde naast haar neer. ‘Sorry! Je hand glipte uit de mijne.’
Kylee kreunde. ‘Lotion.’
‘Waar heb je pijn?’ vroeg Reed.
‘Overal. Au!’
Ik wees op haar knie. ‘Je krijgt al een blauwe plek. Heb je pijn aan je hoofd? Waarom ging je ook zo hard?’
‘Met mijn hoofd is niks aan de hand. Help me overeind.’
Reed en ik deden wat ze vroeg. Ze liet zich tegen de muur zakken.
‘Het is mijn eigen schuld. Ik zei tegen Reed dat ik harder wilde.’
‘Nee, ik had je beter moeten vasthouden. Het leek wel een

scène uit *Titanic*. Je weet wel, dat die jongen wordt losgelaten en in zee verdrinkt.'
'Maar jij liet háár los.' Wie zei ook weer dat rolschaatsen makkelijk was? Kylee kon wel een hersenschudding hebben.
'Zal ik je even naar het kantoortje brengen?' zei Reed. 'Daar staat een verbanddoos.'
'Nee, dank je, het gaat alweer.'
'Dat betwijfel ik. En ik ben hier om je te helpen. Laat me je op zijn minst iets te...' Reed schrok even en de glimlach verdween van zijn gezicht '...drinken voor je halen.' Hij stond snel op en haalde zijn hand door zijn haar. 'Ik moet weg.'
'Waarheen?' vroeg ik.
'Aan het werk.'
'Net zei je nog dat Kylee helpen je werk was.' Ik keek om me heen. 'En zij is hier de enige die hulp nodig heeft. Ze heeft een behoorlijke smak gemaakt.'
'Fijn dat je me daaraan herinnert.' Kylee wreef over haar scheenbenen.
'Dat bedoel ik.' Reed rolschaatste al weg. 'Ik ga even iets te drinken halen voor haar. Tot zo.'
'Help haar eerst even mee overeind!' riep ik hem na, maar Reed verdween al in de verhuurwinkel. Ik keek weer naar Kylee. 'Nou, daar gaat onze redder in nood.'
'Hij heeft anders jouw leven wel gered. Blijkbaar ben ik er niet erg genoeg aan toe. Of hij kon mijn rolschaatskunsten niet langer aanzien.'
'Ik vind het vreemd,' zei ik. 'Of beter gezegd, híj is vreemd.'
'Helemaal niet. Doe niet zo onaardig. En hijs me eens overeind.' Kylee rolschaatste langs de reling naar de uitgang van de baan, kloste naar ons bankje en ging kreunend zitten. 'Ik

zal morgen wel flink spierpijn hebben. Volgende keer mag ik zeggen wat we gaan doen, oké?'
'Sorry. Ik dacht dat het leuk zou zijn. Jij zegt het maar, ik doe overal aan mee.'
'Dat wordt dan een zombiefilm. Nee, een zombiemárathon.'
'Ik zal mijn zonnebril meenemen. Dan zie je niet wanneer ik in slaap val.'
'Haha, denk maar niet dat je tijdens *Apocalypse* in slaap valt!'
Ik rolschaatste naar het toilet, waar ik een paar papieren handdoekjes nat maakte om Kylees schrammen mee te reinigen. Ik knielde neer bij haar bloedende knie en depte de wond. Haar gezicht vertrok van de pijn.
'Reed zou dit eigenlijk moeten doen. Waar is onze EHBO'er eigenlijk?'
Kylee keek me nadenkend aan. Uiteindelijk boog ze zich naar me toe en fluisterde: 'Desi, ben je op Reed?'
'Op Reed? Ik?' Ik stopte met deppen. 'Doe me een lol. Hoe kom je daar nou bij?'
'Je doet alsof jullie elkaar al je hele leven kennen.'
'We repeteren samen.'
'Het klikte meteen tussen jullie.'
'Onzin.' Ik verfrommelde een papieren handdoekje. 'We zijn gewoon vrienden. Zolang hij zich tenminste niet zo betweterig gedraagt.'
'Ik bedoelde eigenlijk dat jullie misschien beter bij elkaar passen. Hij kletste de hele tijd onder het schaatsen, maar ik kreeg er zoals gewoonlijk geen woord uit. Ik ben mezelf niet in zijn bijzijn. Vreselijk.'
'Dat komt wel.'
'Maar ik vind hem wel leuk. En lief.'
'En grappig,' voegde ik eraan toe.

'Zie je wel dat je hem leuk vindt?'
'Nee, echt niet. Dat zweer ik. Ik ben op iemand anders.'
'Op die prins.'
Ik verslikte me bijna in mijn kauwgom. Karl? ZE WIST DAT IK EEN OOGJE HAD OP KARL? Hoe was dat mogelijk? Had ik mijn handcomputer ergens laten slingeren of per ongeluk zijn naam laten vallen?
'Je hele slaapkamer hangt er vol mee. Misschien kan ik ook beter verliefd worden op een beroemdheid.'
Ik veegde mijn voorhoofd af. Diep ademhalen, Desi. Kylee wist dat ik op Karl viel. Ze wist niet dat ik Karl kénde. Mijn geheim was veilig. En wat ze over Reed zei... dat was... nou ja, dat was dus... onzin. Gewoon onzin.
Op dat moment ging de deur van de verhuurwinkel open en kwam Reed naar buiten gerolschaatst. Zijn haar zat in de war. Hij verontschuldigde zich uitvoerig. 'Sorry, dames, maar een scheidsrechter heeft nooit een seconde vrij.'
'Ik dacht dat je iets te drinken ging halen voor Kylee.'
'Dat was ook de bedoeling. Maar ik moest de voorraad voetensprays inventariseren. Een heel gedoe... de details zal ik jullie besparen. Maar omdat jullie zo geduldig zijn geweest, zal ik nacho's voor jullie regelen. Hier, ik ben zo terug.'
'Nacho's? Denkt hij echt dat hij het goed kan maken met nacho's?' vroeg ik.
'Doe niet zo moeilijk, Des.'
Reed kwam terug met drie flesjes limonade en slappe kaasnacho's.
'Dank je,' zei Kylee.
De harde dansmuziek maakte plaats voor een liefdeslied uit de jaren tachtig. 'Jongens, pak je meisje goed vast, de baan is voor de stelletjes!' De dj wees op Reed vanuit zijn cabine.

Reed sloeg zijn ogen ten hemel. 'Ik kom er niet onderuit. Wil een van jullie voorkomen dat ik met een giebelende tienjarige de baan op moet?'
'Vergeet het maar. Ik durf niet meer.' Kylee slikte een nacho door. 'Ga maar met Desi. Je hebt nog iets te goed omdat je haar leven hebt gered.'
Ik wierp Kylee een boze blik toe. Nu had ze opeens een grote mond. Maar als ik ergens geen zin in had, was het arm in arm schaatsen met Reed. Hij had de avond ervoor tijdens de kostuumrepetitie vier minuten lang kritiek op me geleverd. 'Ik ben er ook niet goed in.'
'Het is heel simpel.'
'Lekker samen práten.' Kylee hield twee nacho's omhoog en drukte ze tegen elkaar alsof ze met elkaar zoenden. Het was lang geleden dat ik een boezemvriendin had gehad, maar dit leek me toch een dubbelzinnig signaal. Eerst stuurt ze me ontelbare sms'jes met Kylee <3s Reed en dan wil ze ineens per se dat ik samen met hem ga schaatsen.
We rolschaatsten de baan op, maar toen Reed zijn armen naar me uitstak, sloeg ik de mijne over elkaar. 'Eh, we moeten elkaar vasthouden. Alsof we dansen. Maar dan op rolschaatsen. Ik moet achteruit rolschaatsen. Heel erg, maar het is niet anders.'
Ik legde mijn handen voorzichtig op zijn schouders, hij de zijne rond mijn taille. Nog altijd gaapte er een ravijn tussen ons in. We begonnen te schaatsen – dansen was een groot woord. De stilte duurde een half rondje. Reed mocht vaak kritiek op me hebben, dit zwijgen was nog erger.
'Dus je hebt het wel naar je zin in Sproutville?' vroeg ik uiteindelijk.
'Ze kan praten!'

'Haha.'
'Ja, ik hou van dit soort stadjes. Op mijn achtste woonden we in New York en dat vond ik vreselijk.'
'Ik dacht dat je uit Nieuw-Zeeland kwam.'
'Klopt, maar we hebben de hele wereld rondgereisd. Mijn ouders doen al tien jaar onderzoek naar de gevolgen van luchtkwaliteit op de landbouw. Dit is mijn zesde school, derde land.'
'Ooit gedacht nog eens op een rolschaatsbaan in Idaho te werken?'
'Het is geen dierenwinkel, maar de nacho's kunnen ermee door.'
Toen ik mijn hand op zijn schouder verlegde, trok hij me iets dichter naar zich toe.
'Hoe weet jij dat ik in een dierenwinkel heb gewerkt?'
'O, toen ik eh... je afgelopen zomer uit die waterbak redde, werkte je toen niet voor een dierenwinkel? En je zei het tijdens de repetitie toen het niet lukte met die ezelskop.'
'Dat is waar.' Ik moest hem nageven dat hij goed had opgelet. Blijkbaar luisterde hij naar me, hoeveel hij ook staarde en commentaar leverde. 'Maar ik hou het hier voor gezien. Ik heb nog andere dingen te doen.'
'Zoals?'
Ik ben een magische stand-in voor prinsessen. Jij? –'Mijn eigen T-shirts ontwerpen.'
Een groep meisjes, die ons in een kring inhaalde, zwaaide naar Reed. Hij glimlachte naar hen en wendde zich toen weer tot mij. We hadden ons eerste rondje erop zitten en het lied was bijna aan het refrein toe.
'Dit hier is maar een tijdelijk baantje.'
'Wat zou je dan willen doen?'

'Niet lachen, maar ik zou het liefst acteur willen worden. In een theater. Stom, hè?'
'Nee, hoor.' Het refrein van het lied barstte los, zodat we zwijgend in een stijve houding verder schaatsten. Toen de muziek weer wat zachter klonk, schraapte ik mijn keel. 'Je weet dat je goed kunt acteren.'
'Vind je?'
'Dat weet je best, Reed.'
Reed perste zijn lippen op elkaar. 'Je vind me eigenwijs, hè?'
'Koppig als een ezel.'
'Haha.' Zijn handen op mijn rug gleden iets omlaag. 'Zal ik je iets verklappen? Over sommige dingen voel ik me best wel zeker, ja. Ik acteer al lang en heb al heel wat rollen gehad. Dan mag ik onderhand ook wel iets kunnen.'
'Je vindt jezelf dus goed.'
'Tuurlijk! Als je iets wilt bereiken, moet je in jezelf geloven. Dat probeer ik je steeds duidelijk te maken. De ene keer acteer je geweldig. Dan ben ik ervan overtuigd dat je Titania bent, dat je haar begrijpt. Maar dan ineens lijkt het alsof je je tekst alleen maar opzegt.'
'Begin je nu wéér?' Ik wilde mijn handen wegtrekken, maar Reed greep me steviger vast.
'Sorry. Nou verpest ik het weer, hè?'
'Geeft niet.'
'Jawel. De laatste keer dat ik zo deed, heb je me een paar weken genegeerd. Ik wil geen ruzie met je.' Hij keek even opzij, alsof hij naar woorden zocht, en keek me toen recht aan. 'Jij bent anders, Desi. Dat is alles. Ik heb nog nooit een meisje ontmoet dat zo... Ik weet niet eens hoe ik het moet omschrijven. Ik ken je amper, maar op een of andere manier heb ik het gevoel dat ik je altijd heb gekend.' Hij bloos-

de. 'Ik probeer je niet mijn eeuwige liefde te verklaren, hoor. Ik wil alleen dat je weet hoe ik over je denk. Ik zie... iets. Vandaar dat ik misschien een beetje hard tegen je ben. Ik weet dat er meer in je zit.'
'O. Eh... o.'
Ik kreeg een knoop in mijn maag. Hoe kwam hij daar nu bij? Ik ben niet anders. Oké, ik heb magische krachten, maar in Idaho ben ik gewoon Desi. En dat was prima. Wat zag Reed dat anderen niet zagen? En hoe wist hij dat zo zeker? Hij kende me amper.
Mijn god, waarom zei hij dat allemaal tegen mij?
'Dit is het langste lied uit de rolschaatsgeschiedenis,' zei Reed. In stilte reden we nog een rondje en zodra de muziek ophield, lieten we elkaar los.
'Kylee zal de nacho's nu wel op hebben.' Wat Kylee over karma had gezegd, klopte niet: dat je niet makkelijk met een jongen kon praten, misselijk werd van de spanning en dichtklapte als je bij hem was, wilde nog niet zeggen dat je je tijd verspilde. Tijd was nu net wat ze nodig had. En ik had Reed het zwijgen moeten opleggen toen hij al die dingen tegen mij zei.
Maar... maar dat wilde ik niet. 'Bedankt. Voor het dansen.'
'Uh-huh. En, eh, sorry dat ik zo vervelend deed.' Reed speelde met zijn scheidsrechtersfluitje. 'Ik zie je morgen op de repetitie. Ik zal je maar geen succes wensen, want dat brengt ongeluk.'
'Dat wou ik net tegen jou zeggen, maar je bent me voor.'
Hij keek me nog één keer aan. 'Maar goed ook,' zei hij terwijl hij weg rolschaatste.
Zijn schouder raakte de mijne en het leek even of ik... een schok kreeg.

16

Toen ik de avond erop een uur voor de voorstelling in het theater aankwam, hing er een chaotische maar energieke sfeer. Mijn moeder had thuis mijn haar en make-up al gedaan, zodat ik alleen nog maar mijn kostuum aan hoefde te trekken en mijn plankenkoorts hoefde proberen te onderdrukken. Proberen.

Ik ging op een klapstoel naast de geluidscabine zitten. Mijn tekst maalde door mijn hoofd. Ik had de vorige nacht een nachtmerrie gehad waarin ik op het toneel een black-out kreeg. Nee, het was anders gegaan. In plaats van mijn Titania-tekst had ik dingen geciteerd die ik eerder als stand-in had gezegd. Celeste had me uitgelachen en Reed had zijn ezelskop afgerukt en was van het podium af gestormd. Ik was als enige in de schijnwerpers achtergebleven op het toneel.

Ik schudde mijn hoofd. Ik had geen tijd om de droom te analyseren. Ik moest me op het grote moment voorbereiden, het moment waarover ik al fantaseerde sinds ik de filmsterren in mijn favoriete klassieke films zag. Nu mocht ik zelf acteren en zou iedereen, anders dan bij mijn werk als stand-in, weten dat ík het was. Dit keer had ik geen rouge om mijn fouten achter te verbergen.

Twee opgewonden technici snelden voorbij. 'Ik weet niet

waar hij die kop heeft gelaten. Als ik dat wist, hoefden we nu niet te zoeken.'
'Hoe kun je nou een ezelskop kwijtraken?'
'Dat moet je mij niet vragen. IK ben hem niet kwijtgeraakt.'
'Het stuk begint over een halfuur.'
'HOU OP MET DIE VERWIJTEN!'
Ik onderdrukte een glimlach. Reed had de ezelskop waarschijnlijk in de meidenkleedkamer verstopt om ons de stuipen op het lijf te jagen. Die kop woog vijf kilo, die zag je niet zomaar over het hoofd.
In de weekendtas aan mijn voeten klonk een zoemend getril. Ik ritste hem open, maar zodra ik mijn handcomputer zag oplichten, liet ik me achteroverzakken op mijn stoel. Toch niet nu zeker? Het stuk begon over een klein halfuur. Hopelijk kreeg ik alleen maar nieuwe BEST-instructies en geen info voor een nieuwe klus.
Het getril nam toe, de weekendtas verschoof een paar centimeter.
'Rustig nou maar.' Ik griste de handcomputer uit de tas en klikte het schermpje open.

Meredith: Over twee uur begint je nieuwe klus.

Vergeet het maar. Die prinses kon wel drie uur wachten. Per slot van rekening konden ze de tijd stilzetten! Of in elk geval langzamer laten lopen. Ik wist niet hoe het werkte, maar wat Façade ook van me wilde, het kon nooit zo belangrijk zijn als dit toneelstuk. Ik moest me in mijn rol inleven – de rol van Titania.
Voordat ik de kans kreeg terug te sms'en, verscheen Merediths zeepbel.
'Ik kan hier nu niet weg!' siste ik tegen de zeepbel.
De zeepbel antwoordde niet.

'Mag ik me op zijn minst omkleden?'
Niets. Niet dat zeepbellen terugpraten, maar Meredith kon me horen. Haar zwijgen zei genoeg. Na een minuut stilte kreeg ik weer een sms'je.

Meredith: Als ik je nou midden in het toneelstuk kwam ophalen. Het kan prima nu.

Ik stampte met mijn voet. 'Ik heb honderd kraaltjes op dit kostuum genaaid. Ik wil er niet één verliezen.'
Meredith stapte uit en zette haar hand in haar zij. Niemand kon haar zien, ze konden me alleen maar horen schreeuwen tegen niets in het bijzonder. Maar in het theater was praten in jezelf de normaalste zaak van de wereld.
'Als je niet opschiet, trek ik al die kralen eraf,' zei Meredith. 'Ik heb zo vakantie.'
'Kom je daarom de belangrijkste dag van mijn leven verstoren?'
'Je hebt ervoor getekend altijd voor Façade klaar te staan, schat. Acteren in een theaterstuk was je laatste BEST-opdracht. Formeel gezien had ik moeten wachten tot na de uitvoering, maar ik ben nu vrij. Voordat ik op vakantie ga, hoef ik alleen jou nog naar je klusje te brengen.'
'Jij gaat nooit op vakantie.'
'Daaróm. Ik heb geen seconde te verliezen. Stap in en lees de info. Met dit klusje doe je trouwens een hoop acteerervaring op.'
Ik aarzelde, en dat was dom. Meredith glimlachte zelfvoldaan toen ik de zeepbel in stapte, maar ik weigerde te erkennen dat ik ondanks de slechte timing alles over deze mysterieuze prinses wilde weten. Ik plofte neer op de bank met mijn handcomputer en poederdoos, smeerde wat rouge op mijn wangen en klikte toen het nieuwe profiel open.

Naam: Floressa Chase
Woonplaats: Hollywood Hills, Californië
Leeftijd: zestien
Lievelingsboek: *DESIGN: een fotogeschiedenis*
Lievelingseten: Rijstwafels met cheddarkaas (met chocolade als ik onverstandig wil zijn)
Aanvullende informatie: Alsof het nog niet fantastisch genoeg is mij te zijn, ontdekte ik toevallig via een of andere internetlink jullie agency. De voordelen van Hollywood-royalty lijken oneindig. Wees gerust, ik heb me aan de regels gehouden en het aan níémand verteld. Als je hele leven tot in de kleinste details wordt vastgelegd, is het heerlijk om een geheim te hebben.
Dit uitje komt als geroepen, omdat ik hoognodig een tijd weg moet bij mijn moeder. Ja, mijn moeder – de Oscarwinnende legende van het Grote Doek, Gina Chase, alias de reden dat ik op mijn negende een rolletje in mijn eerste televisieserie kreeg. Je hebt haar gezien in *Unspoiled Love, Surrender a Moment, Once Upon an Island, The Alligator Club...* en ze vindt het vreselijk als ik het zeg, maar ze zat ook drie afleveringen lang in een slechte politieserie. Ze is onlangs gescheiden van haar tweede man, filmproducent Jason Mahoney.
En nu probeert ze míjn leven te verpesten.
Ze wil dat we samen een moeder-dochterreis naar Tharma maken, waar ze in de jaren negentig een film heeft opgenomen. Ze denkt dat ze spiritueel zal ontwaken als ze naar die plek terugkeert. Vandaar dat ze een jacht heeft gekocht en samen met mij aldaar cultuur wil gaan opsnuiven. Cultuur. Nee, dank je. Het enige wat ik op vakantie wil opsnuiven, is de geur van zonnebrandolie terwijl

ik tijdschriften doorblader. En met mijn nieuwe parfumlijn, het presentatiewerk voor MTV en de lange dagen die ik in de studio heb doorgebracht, ben ik echt aan vakantie toe. Uiteraard zou mijn moeder diep geschokt zijn als ze wist dat ik het versterken van onze band onzin vind. Ik weet dat ze spectaculaire plannen heeft, maar ik krijg de kriebels als ik eraan denk. Je hoeft je dus alleen maar aan te passen. Maar niet te enthousiast. Per slot van rekening moet je mij zijn, nietwaar? Dus in godsnaam, geen toestanden met paparazzi zodra je aan wal komt. Ik ben van redelijk onbesproken gedrag en wil dat graag zo houden.
Over paparazzi gesproken: ik ben er apetrots op dat ik een lijst met meest slecht geklede beroemdheden mag maken. Ik ontwerp mijn eigen kleding, en mode is alles voor mij. Daarnaast word ik bijgestaan door mijn persoonlijke stylist/ontwerper Ryder. Hij is zo geweldig en zóóóóó duur. Maar ja, het kost nu eenmaal geld als je eruit wilt zien als ik, dus zorg ervoor dat ik altijd op en top de deur uitga. Ik zou flink balen als ik bij terugkomst gebroken nagels blijk te hebben, oké? O ja, ik volg een speciaal dieet en 'Beweeg je fit'-programma. Als ik niet op hakken loop, rolschaats ik. Je mag dus niet te veel eten. Ik ben al één kilo afgevallen!
Tot slot: praat met en sms Barrett zo nu en dan. Maar alleen zo nu en dan. Ik kan er niet tegen als andere vrouwen mijn vriendje proberen te versieren. Dus communiceer net genoeg met hem dat hij niet in de gaten krijgt dat ik weg ben. Dat zal geen probleem zijn, want hij is vissen met zijn jongere broertje, ergens aan de andere kant van de wereld.
Onthoud: moeder = band versterken. Maar kijk wel uit dat ze je geen dingen laat doen die ik ook nooit zou doen.

'Floressa Chase? Ik snap er niks meer van. Ik dacht dat Façade alleen zaken deed met royals. Vallen daar nu ook al Hollywoodsterren onder? Waarom is dit Niveau 2?'
'Daar kan ik geen antwoord op geven. Alleen dat Floressa's connecties verder gaan dan alleen haar moeder. We hadden een zogenaamde "loklink" op internet geplaatst, die alleen door mensen van koninklijken bloede gezien kan worden. Niet dat ze dat weet.'
'Maar iedereen heeft wel een bet-bet-betovergrootouder van koninklijken bloede. Zelfs Lilith. Wat maakt Floressa zo bijzonder dat ze een stand-in krijgt?'
'Het is niet alleen een koninklijke band, hoewel dat wel het belangrijkste criterium is. Rijkdom en beroemdheid bepalen deels of een klant voor Niveau 2 in aanmerking komt. En als er íémand rijk en beroemd is, is het Floressa.'
'Dus ik hoef alleen maar met een beroemde actrice wat rond te hangen op een boot nabij een tropisch eiland?'
'Ja. Ik ben blij dat je er zo makkelijk over denkt. Houden zo. Ik ben met vakantie, dus hou er rekening mee dat ik misschien moeilijk te bereiken ben. Maar je hebt mij vast niet meer nodig.'
Ik hoorde nauwelijks wat ze zei. Ik voelde opwinding in plaats van zenuwen voor de uitvoering. In mijn stoutste dromen had ik niet durven hopen dat ik deze kans zou krijgen. 'Ik word Floressa Chase! Ik word Floressa Chase!'
'Rustig nou maar. Floressa Chase gilt niet zo.' Meredith zuchtte. 'Ik drop je op het toilet van het jacht, dus dat wordt krap. Over twee dagen leggen jullie aan in Tharma. En kijk uit voor het pittige eten daar. Ik drop je dan wel op het toilet, het is niet de bedoeling dat je daar de hele dag zit.'
Vanochtend was ik zenuwachtig voor het toneelstuk, zon-

der te weten dat me nog een belangrijker rol te wachten stond. Een RODE-LOPERrol. Dit ging nog veel verder dan mijn prinsessendromen.
Toen ik uit de zeepbel stapte, botste ik bijna tegen de wc-muur op. 'Oef,' zei ik. Ik draaide me om en keek in een spiegel. Bijna had ik weer een gil geslaakt. Ik keek naar mezelf als Floressa Chase, gekleed in een groengestreepte bikini, en met een donkere zonnebril in mijn haar. Ik gooide haar zwarte haar naar achteren en glimlachte over mijn schouder. Duizenden meiden zouden er alles voor overhebben om Floressa Chase te zijn. Ik was de enige, behalve zijzelf, die het ook echt was.
Ik voelde mijn voeten zwaar worden en er knelde iets om mijn enkels. Het jacht schommelde, waardoor ik bijna tegen de wastafel viel, nee wacht, rólde. Lieve help. Ik wist dat Floressa rolschaatste om af te vallen, maar op een boot? Hoe deed ze dat zonder overboord te slaan?
Ik opende de wc-deur, rolde met mijn handen tegen de wanden naar de trap en bonkte tree voor tree op de remblokken naar boven. Toen ik boven aan de trap kwam, slaakte ik een zucht en greep me aan de deurpost vast om mijn evenwicht te bewaren.
Terwijl ik over het dek keek, zoog ik de zilte lucht in mijn longen. De zon schitterde in het kristalblauwe water en in de verte zag ik de vage contouren van land. Er stond een lichte bries. Perfect loungeweer. Dat was dan ook wat Gina Chase aan het doen was op een van de beklede ligstoelen op het dek.
Het is een publiek geheim dat beroemdheden op foto's en in films doorlopend worden geairbrusht en opgemaakt en dat ze in het echte leven net als iedereen puistjes, onhandel-

baar haar en cellulitis hebben. Maar dat gold niet voor Gina Chase: haar uiterlijk grensde aan volmaaktheid. Eén blik en je wist dat ze niet zomaar iemand was. Ze had hetzelfde donkere haar en dezelfde stralende glimlach als Floressa, en haar badpak met luipaardprint deed haar roomkleurige huid en weelderige vormen perfect uitkomen. Ze viel bijna in dezelfde categorie als mijn favoriete idolen uit de jaren vijftig en zestig. Bijna.

Ze zette haar zonnebril af. 'Flossie! Waar zat je? Ach, laat ook maar, het zal wel met die rare rolschaatsen te maken hebben. Maar zeg eens, wat zal ik Johann voor de lunch laten klaarmaken?'

Ik dacht na. Millie had dergelijke details precies ingevuld, maar ik hoefde niet alles uitgeschreven te hebben om een slim antwoord te geven. In Niveau 1 had ik het praktisch zonder informatie moeten doen en Floressa was allesbehalve mysterieus. Dus dit rijke meisje op zee had zin in... 'Eh... kreeft lijkt me wel lekker.'

Gina grinnikte. 'Sinds wanneer eet jij kreeft, of iets waarin meer dan honderd calorieën zitten?'

'Haha. Grapje.' Dat was waar ook. Dit rijke meisje op zee volgde het Beweeg-je-fit-programma. Hopelijk hoefde ze voor haar dieet geen calorieën en koolhydraten te tellen, want ik had geen idee hoe dat moest. Kreeft is een vis; is dat niet goed voor een mens? 'Ik heb zin in... salade?'

'Laten we onszelf verwennen en er gegrilde kip bij nemen. Johann?'

In alle jachttijdschriften die ik had doorgebladerd, had een knappe Johann gestaan: mannen met een kuiltje in hun wilskrachtige kin en ongetwijfeld een bijbaantje als fotomodel bij Ralph Lauren. Hij hoefde zijn poloshirt niet eens

te verruilen. Toen hij verdween om onze lunch te bereiden, rolde ik in slowmotion naar de stoel naast Gina.
Ze wreef over mijn arm. 'Gaat het? Je lijkt zo... onvast ter been.'
'Ik heb honger. Die salade zal me goed doen.' Ik maakte de veters van de rolschaatsen los, trok ze uit en deed ze in Floressa's tas. 'Zo krijg ik tenminste geen strepen op mijn huid.'
Gina las verder in haar script. Ik probeerde niet te staren. Hoewel ik al veel royals had ontmoet op mijn avonturen, was dat anders dan een actrice te ontmoeten die je in films, tijdschriften en advertenties voor kleurspoeling zag. Ik zou haar jukbeenderen even willen aanraken om me ervan te verzekeren dat ze echt was.
'God, je hebt al ruim dertig seconden niet geklaagd over het feit dat je op dit jacht zit. Begin je het eindelijk leuk te vinden?'
'Nee,' zei ik. Ik dacht aan de evenwichtsoefening die me te wachten stond: de band met mijn moeder versterken en tegelijk doen alsof ik gek werd op dit jacht. 'Ik word niet goed van het geschommel.'
'Jachten schommelen niet. Het komt door dat rare rolschaatsdieet van je. Waarom doe je niet samen met mij yogaoefeningen? Dat is goed voor je immuunsysteem en je zult de energie nodig hebben voor als we aan land gaan. Ik heb een paar leuke verrassingen voor je in petto.'
Ik kon me maar al te goed voorstellen wat voor verrassingen dat waren. Ik probeerde verveeld te kijken. 'Het zal wel even spannend zijn als de rest van de reis.'
'Ik wil dat je een spirituele ontwaking ervaart. Wanneer ben je voor het laatst in contact gekomen met het kind in jezelf?'

'Eh, nooit?'
'Dat bedoel ik. Daarom heb ik de komende twee dagen in drie categorieën verdeeld. Geest, Lichaam en Ziel. Maar misschien doen we het ook wel in een andere volgorde. Dan doen we de geest vandaag, morgen de ziel en eindigen we met het lichaam. Ik heb een feestelijke Spa-behandeling voor ons geboekt. Door dit samen te doen, komen we dichter tot elkaar en die basis zullen we nodig hebben voor als we in Tharma aankomen.'
'Waarom? Wat gaan we in Tharma doen?'
Gina opende haar mond alsof ze iets wilde zeggen, maar deed hem toen weer dicht. 'Eerst Lichaam, Geest en Ziel, Flossie. Haal maar een verrijkend boek uit de studeerkamer. Geen roze omslagen. We gaan voor diepgang!'

De twee daaropvolgende dagen ging ik zo diep dat ik het gevoel had dat ik verdronk. Verdronk in LUXE. Ik verdiende geld met activiteiten waar de meeste mensen een fortuin voor over zouden hebben. Ik wist niet of ik in contact kwam met mijn 'innerlijke kind', maar mijn *qualitytime* met Gina Chase was goud waard.
De eerste dag praatten we over politiek en boeken, en over Gina's religieuze ontwaken. Toen ik haar naar haar acteerachtergrond vroeg, vertelde ze honderduit over hoe ze haar emoties aansprak, serieus wist blijven te kijken in grappige situaties, en hoe je het beste je tekst uit je hoofd kon leren. Ik denk dat ze zich gevleid voelde dat haar dochter eindelijk interesse in haar toonde terwijl ze in werkelijkheid werd uitgehoord door een theatergroentje uit de provincie.
De tweede dag (het gesprek met onze ziel) was gewijd aan zelfonderzoek en discussie. We vroegen ons af waarom Flo-

ressa rood mooier vond dan groen. Gina vertelde over haar kinderangst voor puppies. We sloten de dag af op het dek en mediteerden terwijl de zon onderging.
Tijdens mijn ontspannen meditatie zakte mijn IK-BEN-FLORESSA-CHASE-opwinding en begon ik na te denken over wat ik met deze klus wilde bereiken. Ik had het zo druk met het bewonderen van Gina dat ik helemaal niet meer aan mijn MP had gedacht. En na mijn metamorfose (als gevolg van de rouge), had ik geen enkele tinteling meer gevoeld. Als ik ooit meer over magie en Façades geheimen te weten wilde komen, moest ik me blijven concentreren, beroemde actrice of niet.
Op de laatste dag werd ik gewekt door een man in een blauwe suède broek die een plens koud water in mijn gezicht gooide. Gina was vergeten te zeggen dat we ook een waterbehandeling zouden krijgen.
'Hè?' Ik ging rechtop zitten en sloeg mijn armen voor mijn gezicht. 'Wat is er?'
De man zette het glas water op het nachtkastje en gebaarde naar mijn haar. 'Wil je hier even naar kijken? Ik heb maar drie uur om je toonbaar te maken.'
Ik keek hem met samengeknepen ogen aan, totdat me Floressa's profiel weer te binnen schoot. 'Jij bent Ryder, de stylist.'
'Schat, doe eens niet zo flauw. Ik heb het druk.'
Ik gooide het dekbed open en stapte uit bed. 'Ogenblikje. Badkamer.' Ik bleef even bij de deur staan. 'Leuke broek.'
'Mijn persoonlijke modethema deze week is Elvis. Blauwe suède schoenen zouden te veel voor de hand liggen.'
Ik poetste mijn tanden en waste mijn gezicht met water. Toen ik uit de badkamer kwam, legde Ryder net een peper-

muntje op mijn kussen. De kamer was opgeruimd en rook fris.

Zonder op te kijken, vervolgde hij: 'Ik kon het niet laten. Er hing hier een zwak aura. Maar oké.' Hij wendde zich tot mij. 'Groot nieuws. Meteen toen we vanochtend aanmeerden, belde het paleis. De koning heeft je moeder en jou uitgenodigd voor het diner. DE. KONING. Hij zal wel hopen dat je moeder hier weer een film komt opnemen.' Ryder haalde een wenkbrauw op, maar ik wist niet hoe ik dat moest interpreteren. 'Je moeder is natuurlijk helemaal hyper, dus zodra ik hier klaar ben, zal ik haar moeten kalmeren. Gina Chase heeft daar moeite mee.'

'Ze heeft anders wel vaker royals ontmoet. Via Barrett.' Ik ging op mijn bed zitten. 'Misschien is ze verrast door de uitnodiging.'

'Hoe dan ook. Als ze uitslag krijgt, zal ik haar een antistressbehandeling moeten geven. Voor de zoveelste keer. Ik heb je baden op het dek al gevuld. Eerst een modderbad, dan mijn eigen speciale mix van rozenblaadjes en mint. Daarna volgt uiteraard je mani- en pedicure, want je nagels zullen na een week van verwaarlozing wel schreeuwen om een behandeling. En wees niet boos op me, maar ik heb een andere schoonheidsspecialiste moeten laten invliegen. Gloria móést naar een awardshow. Je garderobestukken heb ik in de salon gezet. Hopelijk vind je vijftien outfits voldoende om uit te kiezen voor het diner. O ja, en ik weet dat jullie lang hebben getwijfeld, maar wil je krullen of een losse knot? Persoonlijk denk ik dat je met deze vochtigheidsgraad beter krullen kunt doen. Dat is wat makkelijker en onschuldiger. Bedenk dat je imagoadviseur je aanraadt niet te veel af te wijken van je imago van het leuke-buurmeisje. Voor je ontbijt heb ik een fruitselectie besteld. Maar eet niet te veel cantaloupe-meloen.' Ryder liep de deur uit. Ik keek hem met open mond na. Was dat Engels wat hij net sprak? Of Hollywoods?

'Kom!' riep hij. 'En laat die ordinaire rolschaatsen maar onder je bed liggen.'

Ik slofte mijn hut uit en er volgde een dag die gevuld was met schoonheidsbehandelingen die met geen pen te beschrijven waren. Tegen de middag was ik geëpileerd, bijgevijld, ingesmeerd, gekapt en in een smaragdgroene zomerjurk gehesen. De pumps hadden zulke hoge naaldhakken dat rolschaatsen me praktischer leken. Ik liep wankelend het dek op. Mijn maag rammelde en ik had pijn aan mijn voeten. Concentreren op geest en ziel was makkelijker dan dit.

'Ik zou zweren dat je nog nooit op tien centimeter hoge hakken hebt gelopen. Kom op, rechtop lopen!' zei Ryder.

'Niet op een deinend jacht,' jammerde ik. Het kon me niet schelen dat ik even uit mijn rol viel.

'Kijk eens aan, mijn dierbare dochter.' Gina schreed over het dek, geen spoortje stress of bezorgdheid op haar gezicht. Ik had haar die dag nauwelijks gezien vanwege de martelpraktijken van onze verschillende schoonheidsspecialisten.

'Sorry dat Ryder je zo onder handen heeft genomen, maar je zult me dankbaar zijn als je ziet wat de verrassing is. Of beter gezegd, wie.'

'Ryder heeft het me al verteld van de koning.'

'Geen koning, maar je bent warm.'

'Floressa? Schat, kom eens naar beneden!' riep iemand vanaf de kade. Ik wankelde naar de reling van het jacht en toen ik naar beneden keek, zag ik prins Barrett met een stralend gezicht naar me opkijken. 'Verrassing?'

Mijn mond zakte open. Verrassing? Eh, ja. Ik had de afgelopen dagen twee sms'jes gestuurd en dacht dat ik verder niks met Barrett te maken zou hebben. En nu stond deze arrogante maar knappe prins met wie ik niet mocht praten, laat staan ontmóéten, een paar meter van me vandaan. Ik draaide me om naar Gina. 'Is dit de verrassing of niet?'
Ze klapte in haar handen. 'Ik vond het zo leuk dat je meeging op reis. En omdat je altijd zo weinig vakantie hebt, vond ik dat je wel wat tijd met je vriendje mag doorbrengen zonder te worden lastiggevallen door paparazzi. Ik vind het geweldig leuk dat je niks in de gaten had! Wat vond je trouwens van zijn smoes dat hij op visreis ging? Barrett is ingevlogen met zijn broer.'
'Met zijn broer?' De woorden krasten in mijn keel.
'Ach ja, je weet dat zijn ouders niet willen dat Barrett alleen op pad gaat. Maak je geen zorgen, prins Karl zal er echt niet de hele tijd bij zijn.'
'Prins Karl is híér? Op het eiland? Dít eiland?'
'Ja.' Gina sloeg haar ogen ten hemel. 'En je vriendje dus ook. Heus, Flossie, dat is toch niet zo moeilijk te begrijpen. Nou, hol maar naar beneden zodat jullie even wat tijd samen hebben voordat we naar het diner gaan.'
Ryder fatsoeneerde mijn haar. 'Beloof me dat je voorzichtig zult zijn met je lipgloss. In geval van nood kun je me altijd roepen.'
Problemen met mijn lipgloss? PRINS KARL WAS OP HET EILAND. Lipgloss was wel het laatste waar ik me zorgen om maakte.

17

Ik hobbelde naar de loopplank en liep voorzichtig over de plank de wal op. Normaal gaat lopen me heel makkelijk af: ik doe het al vanaf mijn eerste jaar. Maar toen had ik niet dat vervelende rolschaats/naaldhakken/zeebenen-probleem. En tot overmaat van ramp moest Karl net op dat moment uit de limo stappen om zich bij zijn broer te voegen.
Ik vergat alles. Lopen. Benen... die dingen waar je je schoenen aan doet en die onder aan je benen zitten. O ja, voeten. Wie maakte zich druk om dat soort details als de jongen waar je al maanden van droomde vlak voor je neus stond? Ik hoefde mijn hand maar uit te steken om hem te kunnen aanraken...
Hij glimlachte beleefd toen ik bleef staan. Mijn knieën knikten van zijn glimlach en ik helde voorover. Karl ving me op.
'Gaat het?'
Ik weet niet meer hoe vaak ik de afgelopen maanden had gefantaseerd dat Karl me in zijn armen hield. Over de klik die we zouden voelen. Wie ik op dat moment ook was, hij zou weten dat ík het was en dat ik degene was van wie hij hield. Maar Karl omhelsde me stijfjes, waardoor het contact minder spannend verliep dan ik had gehoopt. Het probleem was dat ik niet Desi was. Ik was Floressa, de vriendin

van Karls broer. Floressa en Karl hadden waarschijnlijk nooit meer dan elkaars hand geschud. Ik probeerde weer rechtop te gaan staan, maar mijn benen leken van was. Uiteindelijk pakte Barrett me bij de hand en in zijn armen.
'Afblijven, broertje.'
'Ik ving haar alleen maar op.' Karls gezicht werd vuurrood. 'Sorry, Floressa.'
'Vang eerst je eigen vriendin maar eens op,' zei Barrett.
'Haha.' Karl was zo schattig als hij zich ongemakkelijk voelde. 'Ik wilde alleen maar helpen.'
'Geintje.' Barrett keek op me neer. 'Wat zie jij er trouwens weer héérlijk uit.'
Ik dwong mezelf tot een glimlach. Het was behoorlijk verwarrend om van de armen van de ene prins in de armen van de andere te belanden. 'Dank je.'
'En je bent zo snoezig als je je verlegen voordoet. Alsof je niet weet dat je het mooiste meisje van dit eiland bent.' Hij drukte me tegen zich aan. 'Wat heerlijk dat we vanavond samen kunnen zijn.'
'Samen?' zei ik. 'Maar Gina en ik gaan dineren bij de koning.'
'Ik ben ook uitgenodigd. De kroonprins van Fenmar loopt niet elke dag rond op dit eiland. Hopelijk weet je moeder de koning zo in te palmen dat we alleen kunnen zijn.'
Nog geen vijf minuten na mijn sms'je aan Barrett bevond ik me ineens in zijn omhelzing. Hij mocht dan nog zo'n superlekker ding zijn, daar zat ik op dit moment niet op te wachten. Ik moest nog verwerken dat Karl er was en... dat Floressa door het lint zou gaan als ze hoorde dat haar moeder Barrett had uitgenodigd. 'Alleen? En Karl dan?'
Barrett wendde zich tot zijn broer. 'Karl gaat zich vanavond volproppen met ijs en tranen vergieten bij Celine Dion.'

'O? Waarom?'
'Ress, je had hem moeten zien. Hij had een enorme aanvaring met Olivia. Het servies vloog in het rond. En hij zat daar maar met zijn ik-moet-me-als-een-prins-gedragen-gezicht. Lachen, maar ook wel een zielige vertoning.'
'Zo is het helemaal niet gegaan.' Karl schuifelde met zijn voet over het dek. 'We gaan heel vriendschappelijk met elkaar om. Olivia was alleen een beetje... ze liet zich even meeslepen.'
'Ja, na het zien van die foto in dat roddelblad. Bizar, hè? Eindelijk sta ik eens niet op de cover. Nu krijgt Karl een preek van onze ouders over hoe hij zich hoort te gedragen.'
'Zijn jullie uit elkaar?' vroeg ik aan Karl. Ik moest mijn best doen niet al te hoopvol te klinken.
'Tijdelijk.' Karl wreef met zijn hand over zijn gezicht. 'We willen even wat afstand nemen. Het is lang niet zo dramatisch als Barrett doet voorkomen.'
'Het is uit,' zei Barrett. 'Jammer, want ook al is ze kierewiet, ze is wel hot. Maar niet zo hot als jij, schat.'
'Ik heb liever niet dat je zo over Olivia praat.'
'Maar die Elsa mag er ook zijn, met haar leuke boerinnenuitstraling.'
Karl wierp Barrett een boze blik toe. 'Laat Elsa erbuiten. Je bent nog erger dan de roddelpers.'
'Ik ben trots op je, broertje. Ik begon me al af te vragen of je wel menselijk was.'
Dus Karl en Olivia waren uit elkaar. Als dat zo was, was Karl nu single. Zijn broer had het over de foto met Elsa in het roddelblad gehad. Had hij Elsa gesproken? Hoe zou het tussen hen gaan?
Niet aan denken. Het ging om het hier en nu. Karl stond

voor mijn neus. Hij zou alleen zijn vanavond. IJs eten. Treurend... Hopelijk was dat van Celine Dion een grapje.
'Ga toch met ons mee,' flapte ik eruit voordat ik er erg in had. Niet alleen uit eigenbelang. Als zijn broer erbij was, zou Barrett meer afstand houden. 'Het is een koninklijke aangelegenheid en jij bent een prins. Bovendien kun je na een breuk beter niet alleen zijn.'
'Eh...' Karl keek naar Barrett. 'Daar heb ik eigenlijk best zin in na die lange vliegreis.'
Barrett gaf me een kneepje in mijn taille en fluisterde: 'Wanneer moeten wij dan alleen zijn, schat?'
'Later! Ik ben nog steeds... zeeziek.'
'Maar je bent aan wal.'
'Landziek dan. Maar ik heb nog wel zeebenen.' Ik trok zijn hand van mijn taille. 'Morgen hebben we zeeën van tijd samen. Gina vindt het vast niet erg. Vanavond heb ik de eer door twee prinsen te worden begeleid.'
Barrett gaf met zijn vinger een tikje op mijn neus. 'Jij wilt altijd meer, hè?'
Ik keek van de ene prins naar de andere. Als hij met 'meer', meer drama bedoelde, kon hij daar wel eens gelijk in hebben.

Het paleis was schitterend. Natuurlijk. Het was niet voor niets een paleis. Maar door Karls onverwachte komst was ik zo zenuwachtig dat veel me ontging. Om nog maar te zwijgen van een diner in gezelschap van mijn beroemde moeder, mijn knappe vriend de kroonprins en een mij onbekende koning. O ja, prachtige kroonluchter. Een rij bedienden. Kostbare kunst en massa's breekbare spullen, zoals een levensgroot olifantenbeeld in de hal.
Omdat Gina per se mijn hand wilde vasthouden, hoefde ik

niet bang te zijn dat ik Barrett te veel links liet liggen. Ze schrok van elk geluid. En haar huid was koud en klam. Ik vond het op een vreemde manier geruststellend dat een beroemd iemand als Gina zenuwachtig was.
Ik vroeg me af hoe belangrijk deze nacht voor Floressa zou zijn. Ze wist niet dat Barrett zou langskomen. Misschien was ze hier toch liever zelf met hem geweest. Het minste wat ik kon doen was haar inlichten over de wijzigingen in het programma. Façade vond het vast goed dat ik contact opnam als het in het voordeel van de klant was.
Ik moest haar proberen te bereiken. Floressa was overal op internet te vinden.
Even voordat we zouden worden voorgesteld aan de koning, vroeg ik een bediende me het toilet te wijzen. De verwenkamer – met een zithoek en vier wastafels – bood niet zo veel privacy als ik had gehoopt. Ik ging op de wc zitten en tikte een sms'je voor Meredith.

Desi: Barrett is hier als verrassing voor Floressa. En we gaan zo dineren met de koning van Tharma. Dat wil Floressa misschien wel weten. Vertel jij het haar?

Ik staarde minutenlang naar het schermpje. Het had nog nooit zo lang geduurd voordat Meredith reageerde. Ik schreef er nog een:

Desi: DRINGEND!!!! *ASAP*!!! S.O.S.!! MEREDITH?

Weer vijf minuten radiostilte. Ik kon de anderen niet langer laten wachten. Ik scrolde terug naar Floressa's profiel. Nergens contact- of chatroominformatie, omdat ze een nieuwe klant was. Ten einde raad googelde ik haar naam en vond een sociaalnetwerkprofiel. Ze kreeg honderd berichten per dag, die ze op dit moment waarschijnlijk niet las. Maar wat moest ik anders?

Floressa,
Ik LAVEER al de hele dag overal omheen, maar zit nu ROYAAL in de problemen. Kan dus wel wat hulp gebruiken voordat de STAND-IN die hier optreedt de mist in gaat. Neem voor meer informatie alsjeblieft contact met mij op via audreyfan@teenmail.com. Het is mij niet om geld te doen. Ik wil alleen maar helpen.
D.

Het dinergezelschap was klein, maar dat gold niet voor de tafel. Barrett zat links van me, Karl en Gina zaten tegenover ons. Toen een bediende de koninklijke familie aankondigde, stonden we allemaal op.

De deuren zwaaiden open en koning Aung en een negen- of tienjarig meisje met een piekerige pony en een fijn gezichtje kwamen de eetzaal binnen. Ze holde naar de stoel rechts van me.

'Wauw! Floressa Chase! Ik heb het gevoel dat ik je al ken.'

'O. Dank je... prinses.'

'Prinses Isla. Ik wil net zo worden als jij. Waar heb je die jurk vandaan?'

Ik keek omlaag en kon mezelf wel voor mijn hoofd slaan dat ik Ryder niet naar de designer had gevraagd. 'Eh, uit mijn garderobe.'

'Haha. Hoorde je dat, papa? Floressa Chase maakte een grapje. Ze is grappig.'

'Excuses voor mijn dochters enthousiasme.' Koning Aung glimlachte. 'Maar zulk bijzonder gezelschap hebben we ook niet elke dag. Gaat u alstublieft zitten.'

'Ik wed dat je die jurk zelf hebt ontworpen.' Isla kletste verder terwijl iedereen ging zitten. 'Heb je hem zelf ontwor-

pen? Ik heb alle kleren uit je lentecollectie. Magenta is het helemaal op dit moment, hè?'
'Magenta? Eh, ja. Lekker knallerig.'
Koning Aung grinnikte. Hij kwam me op een of andere manier bekend voor, maar ik wist niet waarvan. Nou ja, hij was natuurlijk een kóning, en knap. Voor een oudere man. Waarschijnlijk had ik zijn foto op mijn handcomputer gezien.
Ik bekeek de gasten een voor een en probeerde te raden wat ze van elkaar vonden door naar hun houding en gezichtsuitdrukkingen te kijken. Gina leek het met me eens te zijn dat de koning knap was, want ze kon haar ogen niet van hem af houden.
'Ik waardeer het zeer dat u mijn uitnodiging hebt aangenomen, mevrouw Chase.'
'We gaan elkaar toch zeker niet vousvoyeren? Toe, Aung. Zeg maar Gina.'
We verstijfden allemaal toen we Gina de koning bij zijn voornaam hoorden noemen. Hij glimlachte hoffelijk. 'Natuurlijk, Gina. Goede vrienden kunnen wel... iets vertrouwelijker tegen elkaar zijn.'
Barrett keek me met opgetrokken wenkbrauw aan. Goede vrienden?
Gina's lach klaterde, maar klonk een tikje hysterisch. 'Ja, het is even geleden dat ik hier *Once Upon an Island* heb opgenomen. Zo jammer dat ik hier al die tijd niet meer ben geweest. Ik schat zo'n... zeventien jaar geleden voor het laatst.'
De koning nam een slokje water. 'Ongelofelijk. De tijd vliegt.'
'In bepaalde opzichten wel, in andere niet.'

Ze wisselden een veelbetekenende blik uit.
Barrett gaf me onder de tafel een schop en mimede: 'Wat is hier aan de hand?'
Ik schudde mijn hoofd. Ik had geen idee hoe Gina de koning kende. Ze had er niets over gezegd toen ze me van de uitnodiging vertelde.
'Ja, het was heerlijk om aan *Once Upon an Island* te werken. Vooral ook omdat ik met verlof ging toen Floressa werd geboren.'
'Dat is me bekend,' zei koning Aung. 'En nu is ze hier.'
'O, sorry.' Gina keek me stralend aan. 'Ik heb je vergeten voor te stellen.' Barrett en Karl, die de koning kenden uit de koninklijke kringen waarin ze verkeerden, mengden zich in een ontspannen gesprek over golfhelden. De eerste gang werd geserveerd. Omdat Gina de koning bleef aangapen, wendde ik me tot Isla.
'Mooie halsketting heb je om.'
Ze pakte de ketting vast. 'Jij droeg zo'n ketting ooit op de première van *Roos en Water*. Toen ging je met Charles Voorhees. Die was leuk, maar geen prins Barrett, hè?'
'Weet je nog welke halsketting ik droeg?'
'Ik ben je grootste fan. Ik zit zelfs in je fanclub. Wel onder een valse naam om niet herkend te worden. Je moest eens weten hoe geweldig ik het vind je te ontmoeten. Je bent mijn idool!'
Ik speelde met mijn servet. 'Dank je wel.'
'Ik was dolblij toen mijn vader zei dat je zou komen eten. Ik bedoel, ik wist dat hij je moeder kende, want hij heeft een foto van hen samen op zijn werkkamer en...'
'Echt waar?'
'Hij is gemaakt toen ze hier die film opnam. Ik speelde er

vroeger altijd mee. Dan deed ik alsof Gina mijn tante was en wij nichtjes van elkaar waren. Ik zeur al maanden of hij je een keer wil uitnodigen. Meestal vindt mijn vader het meteen goed. Ik heb al heel veel beroemdheden ontmoet. Maar als ik naar jou vraag, gebeurt er niks. Dus toen de manager van je moeder belde en zei dat ze op bezoek kwam... kwam dat goed uit. Ik heb toen meteen aan mijn vader gevraagd of hij een etentje wilde geven, als een vroeg verjaardagscadeau.'
'Ben je bijna jarig?'
'Over vijf maanden.' Ze pakte mijn arm vast. 'Wil je mijn garderobekast zien? En het paleis?'
Ik keek naar Gina, die een heimelijke blik op de koning wierp, die op zijn beurt heimelijk terugkeek. 'Ik heb een idee. Waarom laat je me niet eerst even je vaders werkkamer met die foto van mijn moeder zien?'

18

Na het diner leidde Isla ons rond door het paleis terwijl de koning Gina de tuinen liet zien. Ik stond toe dat Barrett mijn hand vasthield (eh, ja, ook het vasthouden van een hand van koninklijken bloede behoort tot de taken van een stand-in) en luisterde naar Isla's gekwebbel terwijl ze ons de ene na de andere kamer liet zien. Karl volgde ons op de voet.

Barrett fluisterde in mijn oor: 'Laten we die twee kwijtraken en het paleis met zijn tweeën verkennen.'

'Dat kunnen we niet maken. Isla vindt dit veel te leuk.'

'Ik wou dat wij door de tuin liepen in plaats van je moeder en koning Aung.'

Ik keek over mijn schouder naar Karl. Hij zag er leuk uit, maar had een sombere, afwezige blik in zijn ogen. Dacht hij aan Olivia of Elsa? Toen hij merkte dat ik naar hem keek, verborg hij zijn verdriet achter een beleefde glimlach. Ik keek weer voor me. De laatste keer dat ik door een tuin liep, was met hem. Sterker nog, in die tuin was ik Karl leuk gaan vinden. Wat mijn moeder had gezegd toen ze hem op de foto in het tijdschrift zag was waar: hij was lang niet zo'n knappe verschijning als Barrett. Maar op die mooie dag in de Alpen had ik hem leren kennen zoals hij was: grappig, slim en lief. En daar ging het om.

Stop. Bij de les blijven. Ik had een andere tuinwandeling om over na te denken. Waarom hadden Gina en de koning zich afgezonderd? Dat hoorde niet. Ik bedoel, ze waren allebei alleenstaand – de koning was weduwnaar, Gina twee keer gescheiden – maar dit kon tot geruchten leiden. Terwijl Gina haar imago erg belangrijk vond. Aan de andere kant kon het natuurlijk ook gewoon een vriendschappelijk ommetje zijn. Het was duidelijk dat ze elkaar kenden. Misschien wilden ze bijpraten.
We kwamen bij de studeerkamer die gevuld was met wanden vol met boeken en tropische planten. Het leek wel een jungle. Op een van de tafels stonden foto's van de koning met talloze politici en beroemdheden die hij had ontmoet.
'Kijk, dat is je moeder,' zei Isla. Ze wees op een foto van 10 bij 15 centimeter die in het midden van de tafel stond. 'Ze staat er mooi op, maar ik vind haar nu nog mooier.'
'Ze staan er wel heel gemoedelijk op,' zei Barrett.
Ik bekeek de foto aandachtig. Ik had *Once Upon an Island* gezien. Gina droeg de marineblauwe victoriaanse jurk uit de beroemde scène waarin ze het schip verlaat. De koning had zijn arm om haar heen geslagen en zijn overhemd hing open uit zijn broek. Gina leunde tegen hem aan terwijl hij grinnikend op haar neerkeek. Niet de manier waarop vage kennissen poseren. Gina had de foto gesigneerd met 'Voor mijn liefste'.
De puzzelstukjes vielen op zijn plaats; mijn maag keerde zich om. Gina's zenuwen voor de ontmoeting met de koning. Haar hints tegenover Floressa over de grote verrassing die ze voor haar in petto had. Gina's wens om de koning onder vier ogen te spreken. Hun informele gedrag, de steelse blikken, de gesigneerde foto...

Floressa's leeftijd.
Geen wonder dat de koning me zo bekend voorkwam. Als je de gezichten van deze twee mooie mensen combineerde, zag je Floressa.
Ik kreeg bijna geen lucht meer. Ik keek geschrokken naar Barrett, maar die had zijn aandacht bij een foto van Bruce Willis. Maar Karl ving mijn blik op en fluisterde: 'Gaat het?'
Gaat het? GAAT HET? Nee, Karl. Het. Gaat. Helemaal. Niet.
'Het is hier warm,' zei ik tegen Isla. 'Zullen we verdergaan?'
'Oké. Ik zal je mijn garderobe laten zien!' riep Isla uit. 'Dan doe ik ook een groene jurk aan en zijn we net zusjes.'
Ik slikte. Zusjes. Kind, je moest eens weten.

Karl en Barrett gingen liever poolbiljarten terwijl Isla mij haar garderobe liet zien. Ze kleedde zich wel tien keer om in een andere outfit voordat ik haar eindelijk zover had iets anders te gaan doen. Ik moest Isla kwijt zien te raken en op zoek gaan naar Gina om haar te vragen of de koning echt Floressa's vader was.
Terwijl Isla zich omkleedde, verborg ik me achter een rek jurken en surfte op mijn handcomputer naar informatie over de koning. Mijn korte research onthulde dat koning Aung veertien jaar geleden getrouwd was geweest en dat zijn vrouw aan kanker was overleden toen Isla vijf jaar oud was. Hoewel hij aanvankelijk de tweede zoon was die in aanmerking kwam voor de troon, kreeg hij het koninkrijk toegewezen toen zijn oudere broer werd vermoord in een politiek roerige tijd. Dit gebeurde tegen het einde van de opnamen van *Once Upon an Island*, waarvan de crew vluchtte voor de op komst zijnde rellen. De laatste filmopnamen waren gemaakt in Californië.

Aung was Floressa's vader. Niks spiritueel ontwaken, dit nieuws zou inslaan als een bom, terwijl Floressa niet wist dat hij elk moment kon afgaan. Als Barretts overkomst reden was contact met haar te zoeken, dan was de ontdekking van een koninklijke vader een noodgeval.

Ik belde Meredith, maar haar telefoon werd meteen doorgeschakeld naar haar voicemail. Dus zond ik haar nog een SOS-sms'je. Vervolgens checkte ik mijn e-mail. Nog geen reactie van Floressa. Omdat ik niet wist hoe ik haar kon bereiken, zat er weinig anders op dan te wachten totdat ik iets van Meredith hoorde. Intussen kon ik het beste meer informatie verzamelen. Ik moest mijn ontdekking verifiëren.

'Vind je deze jurk mooier in grijs of lavendel?'

Ik stopte mijn handcomputer in mijn tasje en draaide me om. Isla hield twee precies dezelfde jurken in verschillende kleuren omhoog.

'Lavendel,' zei ik. 'Hoewel ik die grijze ook mooi vind. Doe hem maar eens aan. Ik ga de prinsen zoeken. Kom je dan ook naar de *game room*?'

'Kun je die alleen vinden? Mensen verdwalen altijd in het paleis.'

'Ja, hoor. Ik heb een soort ingebouwd navigatiesysteem in mijn hersenen.'

Isla gaapte me met open mond aan. 'Wat cool!'

Ik haastte me de garderobekamer uit. Ik had een navigatiesysteem, maar dan wel in mijn handcomputer en die had ik nodig om mijn weg te vinden in de tuin. Ik had niet veel tijd voordat Isla en de jongens zich zouden gaan afvragen waar ik bleef.

Zodra ik via de achterdeur naar buiten glipte, hoorde ik de stemmen van Gina en koning Aung. Het was volle maan en onbewolkt, zodat ik goed zag waar ik liep toen ik achter de heggen langs sloop die de binnenplaats en fonteinen omringden. De koning en Gina zaten op een bankje terwijl twee lijfwachten op respectvolle afstand de wacht hielden. Ik kroop achter een struik die dichtbij genoeg was om hen te kunnen verstaan maar mezelf niet te verraden.

'...Spielberg is fantastisch om mee te werken,' zei Gina. 'Andere regisseurs verliezen hun artistieke ambitie zodra ze dat niveau halen.'

'Gina, genoeg ditjes en datjes. Wil je me alsjeblieft vertellen waarom je na al die jaren bent teruggekomen?'

Gina trok een blaadje van een struik en speelde ermee. 'Floressa en ik zijn niet meer zo close als vroeger. Ik dacht dat het goed zou zijn een hechtere band te smeden en haar met haar spirituele kant in contact te laten komen. Ik heb... zulke fijne herinneringen aan de tijd dat ik hier was...'

'Je hebt haar toch niet van ons verteld?'

'En wat dan nog als ik dat wel zou hebben gedaan?' Gina ging rechterop zitten. 'Zou je je daarvoor schamen?'

'Natuurlijk niet. Maar je weet dat het meer kwaad dan goed zal doen wanneer ons verleden bekend wordt.' De koning keek naar zijn lijfwachten en liet zijn stem zakken. 'We hebben een mooie tijd samen gehad.'

'Een mooie tijd? Aung, ik hield van je.'

'O ja? Je vertrok toen ik het moeilijk had. Het enige wat me op de been hield na de moord op mijn broer was dat jij mijn koningin zou worden.'

'Maar ik ben geen koningin! Die rol kon ik niet eens in een film spelen. En jij was geen troonopvolger toen wij samen iets kregen. Ik trouwde met de tweede prins, niet met de koning. De dood van je broer veranderde alles. We konden

niet naar Californië verhuizen. Je was verantwoordelijk voor je land.'
'Maar jij ook! Ik zou alles voor je hebben gedaan. Totdat ik in een roddelblad las dat je iets met die filmproducent had.'
De koning vouwde zijn armen voor zijn brede borst. 'Ik ben blij dat ik ons huwelijk hier heb ontbonden, anders was je overhaaste tweede huwelijk niet rechtsgeldig geweest. De ring die ik je had gegeven... Heb je die afgedaan voordat je die andere omdeed?'
Gina hield haar rechterhand voor het gezicht van de koning. 'Ik draag hem nog steeds. Elke dag, al zeventien jaar lang. We weten allebei dat het een belofte was die je niet kon nakomen, niet met jouw titel. Ik ging weg omdat ik van je hield, Aung, en omdat ik wist dat ik niet goed genoeg was voor jou. Maar denk niet dat mijn gevoelens niet gemeend waren.'
'Je gedrag komt niet overeen met je woorden, lieverd.' Aung legde zijn hoofd in zijn handen. 'Laten we die wond maar niet opnieuw openrijten. We waren jong en het leven ging verder. Het verleden is begraven.'
Gina keek naar de lijfwachten. 'Zo gemakkelijk ligt het niet.'
'Jawel. Ik ben nu koning. Als ik een schandaal heb, heeft mijn land er ook een. En mijn trots belet me om op je veel te late avances in te gaan.'
'Dat is niet de reden van mijn komst.' Gina haalde diep adem en bereidde zich voor op haar moeilijkste tekst ooit. 'Nadat ik je had verlaten, ben ik naar LA teruggekeerd en met Lorenzo getrouwd omdat... ook ik geen schandaal wilde. Ik wist wat dat voor jou én voor je land zou betekenen.'
'We hadden eruit kunnen komen. We hadden opnieuw kunnen trouwen, zodat mijn volk iets had gehad om over te

praten. Je mag dan niet van koninklijken bloede zijn, maar...'
'Dat is niet het schandaal waaraan ik denk.' Ze keek in de richting van de struiken en ik bukte me nog dieper. 'Heb je je nooit vragen gesteld bij Floressa's leeftijd? En kijk naar haar! Lorenzo had rood haar en sproeten. Zie je niet dat ze jouw ogen heeft, jouw teint en... jouw lach? Ze is... ze is jouw dochter.'
Een mengeling van emoties trok over het gezicht van de koning. Verwarring, inzicht, angst, woede. Maar geen vreugde. Toen hij sprak klonk zijn stem gespannen. 'Dat kan niet waar zijn.'
Ik sloot een ogenblik mijn ogen en hoopte dat de koning een man met gevoel was. Oké, je hoort niet elke dag dat je een tienerdochter hebt met de vrouw die je in de steek heeft gelaten. Wat Gina's reden ook geweest mocht zijn, ze had het niet geheim mogen houden. Gina had het anders moeten aanpakken. Maar nu hij het wist, kon hij laten zien hoe het wél moest. Ik had gezien hoe hij naar Isla had gekeken. Hij aanbad haar. Dat verdiende Floressa ook. Zij was onschuldig. Ook al zouden ze het geheimhouden voor de pers, koning Aung kon altijd deel uitmaken van Floressa's privéleven.
Toen ik mijn ogen weer opende, stond de koning. Hij richtte zijn wijsvinger op Gina. 'Nu moet je heel goed luisteren. Je vertelt dit aan niemand. Als je dat wel doet, zal ik het ontkennen. Ik weiger mijn leven door jou te laten verwoesten. Door een actríce.' Hij spuugde het woord bijna uit. 'Ik laat me door jou niet te schande maken.'
'Aung, alsjeblieft. Ik weet dat ik je liefde niet verdien. Ik ben ervan weggelopen. Maar Floressa heeft hier geen schuld aan. Ze weet het zelf niet eens. Ik hoopte...'

'Genoeg!' bulderde koning Aung Sun. 'Ik zal het door mijn eigen mensen laten uitzoeken.' Hij wierp een blik op zijn lijfwachten. 'Deze ontmoeting heeft nooit plaatsgevonden. Ik hoop dat u begrijpt dat ik u vanaf dit moment weer formeel zal bejegenen, mevrouw Chase. U komt er wel uit, nietwaar?'

De koning stormde weg. Er stak een bries op. Ik sloeg mijn armen om me heen en wachtte tot Gina zou vertrekken. Ze begon te huilen en ik vond het vreselijk dat ik niet kon wegsluipen; ze had behoefte aan privacy.

Gina hield op met snikken. 'Je kunt tevoorschijn komen, Flossie. Ik zie je wel achter die struik.'

Wegsluipen kon ik dus wel vergeten. Ik stond voorzichtig op en keek over de heg. 'Waar ging dat zonet over?'

'Kom eens hier.'

Ik liep naar de opening in de heg en ging naast Gina op het bankje zitten. Haar ogen waren gezwollen en er liep snot uit haar neus. Toch zag ze er heel mooi uit. Kwetsbaar, verdrietig, maar mooi.

'Ik had je het nieuws zelf willen vertellen,' zei ze.

Floressa zou nu waarschijnlijk ontploffen, en terecht. Maar ik kon het niet. Ik had met Gina te doen – en met Floressa. Ik bleef roerloos zitten en liet Gina huilen.

'Dus daarom zijn we hier,' zei ik met een uitdrukkingsloos gezicht.

Gina snoot haar neus. 'Ik had het je willen vertellen voordat we van boord gingen, maar ik was bang dat je dan niet zou meegaan en hem nooit zou ontmoeten. Besef wel dat zijn reactie niets met jou te maken heeft. Iedereen zou geschokt zijn.'

'Waarom heb je het hem niet eerder verteld?' vroeg ik.

'Dat weet ik niet. Nee, dat weet ik wel. Ik probeerde je te beschermen.' Ze verfrommelde haar tissue. 'Aung en ik trouwden in het geheim omdat we dat romantisch vonden. De familie wilden we pas inlichten voordat we naar Californië zouden vertrekken, waar we een nieuw leven wilden beginnen. Toen werd zijn broer vermoord en moest Aung blijven. Ik ontdekte dat ik zwanger was, en voor het eerst in mijn leven was ik bang. Het laatste waarop dit land zat te wachten was een actrice. En voor jou zou het niet goed zijn te moeten opgroeien als prinses én Gina Chase' dochter. Maar Aung zou het geaccepteerd hebben. Voor hem is het meer zwart-wit.'
Het klonk aan de ene kant best logisch wat Gina zei. *Aan de ene kant.* Maar dat kon ik niet zeggen. Dit was iets wat Floressa zelf moest horen en verwerken, zonder dat ik haar de woorden in de mond legde. Ik zou er alles voor over hebben haar terug te kunnen stralen om dit moment zelf mee te maken. Ik gaf een kneepje in Gina's hand. 'Ik weet even niet wat ik ervan moet denken. Ik heb tijd nodig.'
'Natuurlijk. Ik denk dat voor Aung, je vader, hetzelfde geldt.'
Ik liet haar hand los. 'Dan praten we er pas weer over als ik er klaar voor ben.'
'Heb je dan geen vragen over...'
'Later. Ik ga Barrett en Karl zoeken. Ik denk dat we hier niet welkom meer zijn.'
Ik haastte me over het gazon terug naar het paleis. Dit zou eigenlijk hét moment moeten zijn om te weten hoe mijn magie werkte. Magische krachten, of zelfs een zesde zintuig, zouden me in contact kunnen brengen met Floressa, emotioneel dan wel persoonlijk. Uiteraard wilde een prin-

ses niet dat haar vakantie in het water viel, maar dit was het grootste drama dat ik als stand-in had meegemaakt. Hoeveel ik ook oefende op mijn BEST-programma of achtergrondgegevens van mijn klant doornam, nooit zou ik precies weten wat Floressa wilde dat ik deed.

Dit was een koninklijk schandaal. Een enorm, levensverwoestend roddelbladschandaal dat ik niet op mijn geweten wilde hebben.

Ineens schoot me iets te binnen. Ik hield mijn pas in. Toen ik net stand-in was, had ik Meredith met Floressa Chase horen praten aan de telefoon. Ik had haar verbaasd naar Floressa's geschiktheid voor Façade gevraagd, maar Meredith had iets gemompeld over... over Floressa's verandering van 'status'. O ja, en dat Façade zaken wist die de roddelbladen niet wisten.

Dus de agency wíst dat Floressa een prinses was. Dat kon ook niet anders: banden met Hollywood waren niet genoeg om haar bij Niveau 2 in te kunnen delen. Ik had kunnen weten dat er meer aan de hand was. Hadden ze niet een of andere morele plicht om Floressa de waarheid te vertellen? Net zoals er een morele plicht bestond om al die arme aspirant-stand-ins in te lichten over de mogelijkheid van hersenspoeling.

Maar Façades betrokkenheid was van later zorg. Die pot met wriemelende glitterwormen liet ik liever nog even dicht. Het leek me belangrijker Floressa op te sporen.

Ik was bijna bij het paleis toen ik mijn handcomputer hoorde zoemen. Eindelijk. Ik keek in het donker om me heen om te zien of ik alleen was en las toen het bericht. Ik was ervan overtuigd dat het Meredith was met het bericht dat ze onderweg was. Per slot van rekening had ze ook ingegrepen toen ik Karl zoende. Als een kus een noodgeval was, in welke categorie moest een geheime prinses van een beroemde actrice dan vallen?

Maar het was Meredith niet. Het was een mailtje van Floressa. Bingo!

Floressa: Ik heb je bericht ontvangen. Wie ben je? Wat weet je?

Daaronder stond haar mobiele nummer. Ik sms'te terug.

Ik: Sorry. Ik ben je stand-in. Dit was de enige manier waarop ik je kon bereiken.

Floressa: O. Wat is er? Ik ben hier met de bedoeling me te kunnen ontspannen.

Waar moest ik beginnen? *Weet je nog dat je zei dat ik je vriendje met rust moest laten? Oké, hij is hier. O ja, en je moeders ex-man is een koning, en je raadt het nooit, maar hij is je vader, dus jij bent een prinses en Isla is je halfzusje.*

En van je rolschaatsen heb ik blaren gekregen.

Ik: Dat kan ik je niet in een sms'je vertellen. Er is hier van alles aan de hand. Je kunt beter terugkomen.

Floressa: Maar ik heb betaald voor twee extra dagen.

Ik: Die krijg je dan vast terugbetaald.

Floressa: Zeg het nou maar gewoon.

Voordat ik kon reageren, viel er een schaduw op de patio. Snel verborg ik de handcomputer.

'Ik moest je van Barrett gaan zoeken,' zei Karl. 'Hij wil spoedig vertrekken.'

Ik dwong mezelf tot een glimlach. 'Oké. Ik had even behoefte aan een moment voor mezelf. Het is zo'n mooie avond.'

'Er staat anders een behoorlijk frisse bries voor de tijd van het jaar. Hier, neem mijn jasje maar.'

Karl trok zijn jasje uit en hing het over mijn schouders. Het rook naar hem; naar dure auto's en pepermunt. Hij ging in de stoel naast me zitten, op eerbiedige afstand.
'Je kunt de oceaan horen als je goed luistert. Klinkt hij hier hetzelfde als in Californië?'
'Het is dezelfde oceaan.' Ik trok Karls jasje strakker om me heen en kreeg plotseling een brok in mijn keel. Ik had geen invloed op de gevoelens van koning Aung. Ik kon de pijn van Gina en Floressa niet wegnemen. Wat voor nút had mijn aanwezigheid dan nog hier? Ik beschikte over magische krachten, maar ik werd alleen maar gebruikt als stand-in-marionet. Ik was niet speciaal. Ik kon iedereen zijn.
En toen moest ik huilen. Niet hard. Stille tranen.
'Zullen we Barrett maar eens gaan...' Karl zag mijn tranen en zweeg. 'O, sorry. Heb ik iets gezegd... heb ik je van streek gemaakt?'
Ik schudde mijn hoofd.
'Wil je erover praten?'
Ik wilde niets liever dan erover praten. Nee, ik wilde hier weg, ik wilde terug naar mijn rustige, schandaalvrije leventje in Idaho. 'Het gaat alweer. Laat me... laat me even bijkomen.'
'Barrett zou hier eigenlijk moeten zitten. Hij kan je veel beter troosten dan ik. Tenzij híj je van streek heeft gemaakt, want in dat geval krijgt hij met mij te doen.'
'Hoe dan?'
'Ik daag hem uit tot een duel. Per slot van rekening zijn we van koninklijken bloede.' Karl glimlachte voor het eerst. 'Dus dan mag het.'
Mijn lach ging over in de hik. 'Het ligt niet aan Barrett. Barrett is geweldig. Er is... er is nogal wat gebeurd in mijn leven

de afgelopen tijd en ik heb een paar moeilijke beslissingen moeten nemen. Ik probeer het allemaal te verwerken.'
'Misschien mag ik je een goede raad geven?' Karl klopte op zijn borst. 'Denk hiermee. Mijn hoofd heeft me te lang de verkeerde kant op gestuurd, en ik ben veel gelukkiger sinds ik mijn hart volg.'
Ik kon het niet laten. Ik moest het vragen. 'Je bedoelt met Elsa?'
Karl bloosde. 'Dat onderwerp bewaren we voor een andere keer. We hebben het nu niet over mijn problemen.' Karl stond op en reikte me de hand. 'Maar als jij over jouw problemen wilt praten, dan hoor ik het wel. We zijn immers bijna familie.'
Ik krabbelde overeind en veegde mijn tranen weg. Mijn hoofd zei dat ik het zinkende schip moest verlaten, maar in mijn hart wist ik dat ik moest blijven om Floressa zo goed mogelijk te helpen. 'Dank je. Je bent een echte prins.'
'Over prinsen gesproken, laten we mijn broer gaan zoeken.' Hij hief zijn elleboog en ik gaf hem een arm. Ik moest mijn best doen de tinteling die zijn aanraking teweegbracht, te negeren.
Barrett en Isla wachtten in de zitkamer op ons. Barrett omhelsde me toen ik binnenkwam. 'Ben je daar eindelijk? Ik dacht dat je ontvoerd was. En waarom draag je Karls jasje?'
Ik snoof nog even Karls luchtje op voordat ik het jasje uittrok en aan hem teruggaf. 'Ik had het koud. Heb je mijn moeder gezien?'
'Ze wacht in de limo. Heb je haar weer op de kast gejaagd? Ik kwam haar in de hal tegen en ze liep straal langs me heen.'
'Het leek alsof ze had gehuild,' voegde Isla eraan toe.

In de deuropening klikte een bediende zijn hakken tegen elkaar. ‘Zijne Majesteit is onwel geworden en heeft zich teruggetrokken voor de nacht. Hij laat zich verontschuldigen, maar wenst jullie nog een fijne avond.’
Isla sloeg haar ogen ten hemel. ‘Mijn vader kan zich soms zo aso gedragen. Beloof me dat jullie nog eens langskomen. Hoe lang blijven jullie hier?’
‘Eh, geen idee.’
‘Ik praat wel met mijn vader. We regelen wel iets.’
Ik weet zeker dat hij zijn oude agenda’s aan het doorbladeren is, zusjelief.

19

Terug op het jacht deed ik alsof ik hoofdpijn had en beloofde ik Barrett dat we de volgende dag bezienswaardigheden zouden gaan bezoeken. Ik hoopte maar dat Floressa, de échte Floressa, tegen die tijd terug was.

Ik klikte terug naar mijn sms-gesprek met Floressa en staarde naar het schermpje. *Zeg het nou maar gewoon.* Wat moest ik doen? Ik vermoedde dat het tegen de regels was, maar ik moest haar terughalen naar huis.

Ik: Hoi, hier ben ik weer. Je stand-in.

Floressa: Jeetje. Eerst laat je niks van je horen en dan stoor je me tijdens mijn schoonheidsslaapje. Wel eens van tijdzones gehoord? Wat is er?

Ik: Om te beginnen: Barrett is hier.

Floressa: Hè? Barrett? Wat doet hij DAAR?

Ik: Je moeder heeft hem als verrassing laten overkomen. Als morele steun.

Floressa: Morele steun waarvoor? Je zoent toch zeker niet met hem, hè? Toch?

Ach, kind. Als dát je grootste probleem was.

Ik: Nee. Ze heeft hem waarschijnlijk laten komen omdat ze groot nieuws heeft. Over je vader.

Floressa: Lorenzo? Die heb ik al in geen tien jaar gezien. Ik dacht dat hij in Italië aan het filmen was.

Ik: Dat is nu net het probleem. Lorenzo is je vader niet. Koning Aung is je vader.
Floressa: Wie?
Ik: De koning van Tharma.
Floressa: Haha. Grappig, hoor. Ik wist niet dat stand-ins ook stand-up comedians zijn.
Ik: Floressa, ik meen het serieus. Ze hebben elkaar ontmoet toen je moeder hier was voor de opnamen van *Once Upon an Island*. Ze heeft het hem vanavond verteld.
Floressa: Ze kennen elkaar niet eens.
Ik: Het wordt nog gekker. Ze waren een tijdje in het geheim getrouwd. Maar toen de broer van de koning werd vermoord, vluchtte je moeder terug naar Amerika, waar jij werd geboren.
Floressa: Je liegt. Je houdt me voor de gek. Ik vind dit niet leuk meer.
Ik: Het spijt me dat je het op deze manier moet horen.
Floressa: Oké. Wacht. Hoe weet jij dat eigenlijk?
Ik: Je moeder heeft het me vanavond verteld... heeft het jóú vanavond verteld.
Floressa: En nu wil hij mij ontmoeten?
Ik: Eh... nee.
Floressa: Hoezo, nee?
Ik: Hij heeft je al ontmoet. Tijdens het diner vanavond.
Floressa: En...
Ik: Ik denk dat de schok te groot was. Hij reageerde nogal boos.
Floressa: Vind je het gek? Ik ben Floressa Chase.
Ik: Zoals gezegd ging het er nogal dramatisch aan toe.

Floressa: OMG, dus ik ben eigenlijk een prinses.
Ik: Formeel gezien wel, ja.
Floressa: Wat cool! Behalve dan dat mijn vader me niet wil zien. En dat jij bij mijn vriendje bent.
Ik: Ik ben geen moment met hem alleen geweest. Zijn broer Karl was er de hele tijd bij.
Floressa: O, Karl. Daar valt ook niks mee te beleven.
Ik: Hij is superaardig.
Floressa: Hebben we het over dezelfde Karl? Ach, hoezo boeiend? Mijn vader is een koning, maar hij wil me niet zien... O, balen. Ik moet nu echt gaan liggen.
Ik: Wacht! Je moet naar Tharma komen.
Floressa: Dacht het niet. Ik ben er nog niet klaar voor. Ik moet dit eerst laten bezinken.
Ik: Hoezo? Floressa, wat moet ik nu doen?
Floressa: Niets. Doe maar niets. En vertel het aan niemand. Blijf zitten waar je zit en ontloop iedereen totdat ik er klaar voor ben. Geef me de tijd en sms me niet. Ik sms jou wel.
Ik: Maar wat als er iets gebeurt?
Floressa: Zorg maar dat het niet zover komt. Dag.

Gina wekte me de volgende ochtend om vier uur. Dit keer zag ze er eens niet geairbrusht uit. Ze had rode ogen en een opgezet gezicht van het huilen. Ik draaide me om. Ik was doodop na een nacht woelen.
'Ik moet slapen,' zei ik.
'Het geheim is bekend.'
'Weet ik.' Ik trok de deken op tot onder mijn kin. 'Dat heb je me zelf verteld.'

'Jij was niet de enige in de tuin.' Gina pakte mijn kleren van de vorige avond van de grond en legde ze op een stoel. 'Er was ook een paparazzo die het gesprek... heeft opgenomen. Mijn agent belde me net. Het verhaal komt vandaag in de *Star Reporter Daily*.'
Zorg dat er niets gebeurt, had Floressa gezegd. OEPS.
'En nu?' vroeg ik.
'De beste verdediging is de aanval. We geven vanmiddag een paar interviews,' zei ze.
'Interviews?' Ik trok een kussen over mijn hoofd. 'Nee. Nee, dat doen we niet.'
'Flossie, ik weet dat het moeilijk is, maar als we er een goede draai aan geven, levert ons dat misschien een positieve pers op.'
'Er een draai aan geven? Dit is geen film. Dit is mijn léven.'
'En een deel van jouw leven speelt zich af in de openbaarheid. Het spijt me, maar dat heeft voor- en nadelen.' Gina fronste. 'Ik laat Brenda Waters invliegen. Het klikte goed tussen ons tijdens ons Oscar-interview en ze kan een geïnterviewde sympathiek neerzetten.'
'Wat vindt de koning ervan?'
'Geen idee. Hij praat niet meer met me. Ik heb berichten achtergelaten, maar hij heeft gezegd dat hij alles zal ontkennen. Brenda Waters heeft hem ook benaderd. Hopelijk helpt dat.'
Ik wreef de slaap uit mijn ogen. 'Je zei dat ik de tijd kreeg het te verwerken.'
'Lieverd, als wij ons verhaal niet doen, maken de media er hun eigen verhaal van.' Ze streek een haarlok uit mijn gezicht. 'Het spijt me. Ga nu maar douchen. Ik stuur Ryder. Misschien moet je gewoon je rolschaatsen aandoen. Dat

heeft iets onschuldigs. Je moet zo aardig mogelijk overkomen, voor het geval de koning met een ander verhaal naar buiten komt.'

Zodra Gina de kamer uit was, pakte ik mijn handcomputer. Maar terwijl ik mijn berichten opzocht, moest ik ineens aan Genevièves kaartje denken. Ik kon contact met haar opnemen. Ik zou hier onmiddellijk weg kunnen en Floressa zou op tijd terug zijn om haar rolschaatsen onder te binden. Maar wat voor gevolgen zou dat voor Meredith hebben? Zou ze problemen krijgen omdat ze niet had gereageerd op mijn sms'jes? Ze hoopte op promotie en ik wilde niet dat ze zouden denken dat ze haar werk niet goed had gedaan. En Floressa... Voor haar was het waarschijnlijk nog moeilijker om onvoorbereid in deze situatie te belanden. Nee, ik kon haar beter eerst over het interview vertellen, zodat ze tijd had zich er geestelijk op voor te bereiden. In de tussentijd zou ik zorgen dat Flossie zich optutte.

Ik tikte de sms'jes en besefte dat ik nog nooit zo vaak achter elkaar de afkorting asap had gebruikt. Ik borg mijn handcomputer op, nam een douche en was net bezig de klitten uit Floressa's haar te borstelen toen Ryder binnenstormde met een aantekeningenboekje in zijn trillende handen.

'Ik moest me voorbereiden op een gezellig reisje van moeder en dochter,' zei hij. 'En een eventuele foto door een paparazzo. Maar een interview met Brenda Waters? Dat is nieuws dat de nationale, wat zeg ik, de ínternationale pers zal halen! Dat kost maanden aan voorbereiding!'

Ik leidde hem naar een stoel. 'Het komt vast goed.'

'Goed? Góéd!' Ryder smeet het boekje tegen de muur, waarna het op het bed viel. 'Sta ik voor het belangrijkste moment in mijn carrière, heb ik geen tafzijde bij me.'

Ik keek het boekje door. Foto's van Floressa in verschillende outfits, vergezeld van schetsen en stofmonsters. Mijn oog viel op een felgekleurd, exotisch bloemendessin. Ik zag meteen dat het perfect was. In deze jurk zou Floressa, met haar lange, golvende haar, eruitzien als een eilandprinses. Ze zou niet eens iets hoeven zeggen. De jurk zou voor háár spreken. 'Heb je deze stof bij je?'
'Natuurlijk. Die heb ik vorig seizoen in Hongkong gekocht.'
'Denk je dat je daar iets van kunt maken?'
Ryder keek met samengeknepen ogen naar de stof. 'Weet je zeker dat het niet te... In zo'n jurk zul je niet opvallen, maar precies in het plaatje passen.'
'O, opvallen doe ik toch wel.' Ik bladerde door de ontwerpen. Ik herinnerde me de kledingstukken in Floressa's garderobe en kreeg een idee. Per slot van rekening ontwierp ik al heel lang T-shirts. 'Heb je deze oorbellen ook bij je?' Ik wees op een paar sierlijke gouden, met rood koralen bezette oorhangers.
Ryder haalde zijn schouders op.
Ik gaf hem een por met mijn elleboog. 'Ik ontwerp zelf ook kleding, hoor.'
'Dus?'
'Dus ik wil niet alleen maar mannequin zijn. We combineren mijn gevoel voor mode met jouw designerkwaliteiten en... Ryder, je hebt gelijk. Dit ís inderdaad een belangrijk carrièremoment. We gaan ervoor zorgen dat ik eruitzie als een eilandprinses. Niemand kan straks nog ontkennen wie ik écht ben.'
Ryder zette grote ogen op. 'Kunnen we die gouden ceintuur gebruiken die ik zo mooi vind?'

'Wat je wilt.'
'Kom dan maar mee, prinses.' Ryder sprong op. 'Uw onderdanen wachten!'

Het kostte drie uur om me helemaal opgepoetst te krijgen (ik voelde me als een muntstuk in een wasmachine. Hoe konden mensen ELKE DAG zo'n schoonheidsbehandeling verdragen?). Ryder maakte intussen een jurk van de stof die ik had uitgekozen en samen kozen we de accessoires waarmee we Floressa aankleedden.
Gina stuurde me haar pr-team om met me door te nemen wat ik moest zeggen. Ik zou de onschuldige dochter spelen die altijd al een vader had gewild. En ik moest huilen: Brenda Waters kreeg iedereen aan het huilen. Ik schreef alles op. Ik zou de vragen niet zelf hoeven te beantwoorden. Tegen de tijd dat het interview begon, was Floressa terug. Dat kon niet anders.
Ik zat alleen op mijn slaapkamer mijn aantekeningen nog eens te door te nemen, toen mijn handcomputer zoemde. Nieuws van Meredith en Floressa! Hoera! Voor mij geen Brenda Waters-tranen.

Desi,
De verbinding is hier slecht, dus ik lees dit nu pas. Je overdrijft wel een beetje met je asap, hoor. We wisten allang dat ze van koninklijken bloede was, anders was ze niet in aanmerking gekomen voor een stand-in. Ik heb Floressa inmiddels persoonlijk benaderd en ze heeft ons gevraagd niet in te grijpen. Op Niveau 2 gaan de wensen van een klant voor ons gebruikelijke protocol. Bovendien ben je voldoende opgeleid. Dus rond deze klus netjes af en laat

mij mijn vakantie afmaken. En neem GEEN contact op met Geneviève. Dan maken we allebei een slechte indruk.
Dus blijf waar je bent. EN DENK EROM, NIET ZOENEN.
Doei-doei,
Meredith

Zoenen? Er speelde hier wel iets anders dan zóénen. In plaats van te vertrouwen op een gewaardeerde stand-in en haar te begeleiden, luisterde Meredith naar Floressa, DIE HIER NIET EENS WAS. Floressa had er geen idee van hoe gevoelig dit lag. Brenda Waters was onderweg hierheen om me aan het huilen te maken. En dat zou wereldwijd worden uitgezonden!

Ik nam niet eens de moeite Meredith terug te sms'en. Het was duidelijk dat haar lichaam was overgenomen door een cyborg. Ik miste Meredith de Workaholic. Waar zat ze in hemelsnaam, dat ze zo graag wilde blijven? Als ik dit interview verpestte, zou dat niet alleen rumoer veroorzaken binnen koninklijke kringen. Iedereen in Amerika, of beter gezegd, iedereen die een tv had, zou het te zien krijgen.

Maar het kon nog erger. Véél erger: Floressa's sms'je.

Floressa: Ik kom niet terug.

Ik kneep mijn ogen stijf dicht. Hadden Floressa en Meredith soms afgesproken mij gek te maken? Lachten ze nu ergens samen in hun vuistje? Want dit was natuurlijk gekkenwerk.

Ik: Wat nu?

Floressa: Ik ben ziek. Ik heb buikpijn. Kan hier niet weg.

Ik: Maar je móét terugkomen.

Floressa: Nee, ik ben ziek. Mijn buik is van streek.
Ik: Heb je overgegeven?
Floressa: Dat niet. Oké, zo erg is het niet. Maar ik kom niet terug.
Ik: Dat zijn de zenuwen. Ik snap het wel, maar je moet terugkomen voor het interview. Het zullen heel persoonlijke vragen worden, dus het zou wel handig zijn als jij ze zelf beantwoordt.
Floressa: Dat interview kan me niks schelen. Niets kan me nog schelen.
Ik: Ik snap dat dit moeilijk voor je is.
Floressa: Ik kom nóóit meer terug. Ik wil mijn vader niet zien na wat hij heeft gedaan. En mijn moeder ook niet. Mijn moeder heeft mijn hele leven tegen me gelogen. Het is hier superchic. Ik blijf hier.
Ik: Ik ben bang dat dat niet kan.
Floressa: Ik ben rijk. Dus alles kan, als het moet. Barrett kan hier zelfs naartoe komen, want hij is een prins. Dus leef mijn leven voor mij en laat me met rust.
Ik: Floressa, even serieus nu. Ik weet bijna zeker dat het goed komt, dus kom terug. Je hebt je moeder, Barrett, je designhobby... en een leven! Een fantastisch leven!

Drie minuten later...

Ik: Floressa? Ben je daar nog?

Nog eens vijf minuten later klopte Barrett op de deur. ‘Schatje, ze willen voor het interview je make-up nog een keer opfrissen.’

‘Ik kom eraan.’

Ik: Floressa, ik ga naar het interview. Daarna moeten

we een oplossing zien te vinden. Je weet ook wel dat je niet eeuwig kunt wegblijven. Façade zal dat nooit toestaan. En ik ook niet.☺☺☺

Daar was ik mooi klaar mee. Ik probeerde haar te helpen en wat deed zij? Zij liet me gewoon stikken. Natuurlijk kon ze niet op haar vakantieadres blijven. Elke prinses moest een keer terug.

Eh... Dat nam ik tenminste aan.

20

Natuurlijk wist ik dat Floressa Chase een beroemdheid was. Ze stond op talloze tijdschriftcovers en ik had tientallen interviews met haar gelezen. Er waren zelfs Floressa Chase-poppen te koop. Maar hoeveel training ik als standin ook achter de rug had, niets had me kunnen voorbereiden op hoe het was om Floressa Chase te zíjn.
Misschien dat daar de obsessie met beroemdheid vandaan komt. Je fantaseert over het leven van beroemdheden, maar zelfs de mensen die in die wereld leven kunnen niet voldoen aan het ideaalbeeld dat anderen van hen hebben. Ook Floressa had haar angsten en verdriet. Om nog maar te zwijgen van buikpijn.
Over dat laatste kon ik maar al te goed meepraten toen ik de haag van paparazzi op de kade zag. Het aantal mensen op het eiland was van de ene op de andere dag verdubbeld. Dit was nog honderd keer erger dan het toneelstuk. Overal filmcamera's. En ik droeg rolschaatsen. Eén uitglijder en het fragment zou wekenlang op televisie worden herhaald.
Ik sloot de gordijnen van de *sky lounge* – een luxueuze ruimte op dekniveau, die zeker twee keer zo groot was als de gemiddelde woonkamer van een eengezinshuis. Het leek maanden geleden dat Gina en ik ontspannen hadden zitten praten over haar filmcarrière. Nu wachtte iedereen op Gina,

zodat we konden overleggen hoe we het beste zonder kleerscheuren bij het interview konden komen. Ryder bracht een laatste veeg make-up aan en spoot nog wat parfum op me.
'Niemand kan me ruiken,' zei ik.
'Maar jij ruikt jezelf wel. En dat zul je uitstralen in je interview.'
Barrett lachte om een filmpje op zijn mobiel. Hij hield hem omhoog. 'Dit is lachen. Een vent op een motor rijdt een puppy plat.'
Prince Charming.
Karl zat met een glas druivensap en pretzels aan de keukenbar. Dit kon wel eens de laatste keer zijn dat ik hem als stand-in sprak. Erger nog, straks moest ik voor de rest van Floressa's (en mijn!) leven Floressa zijn en zou Karl altijd het kleine broertje van mijn man zijn.
Ik gaf Barrett een klopje op zijn knie. 'Ik heb dorst. Wil jij ook iets drinken?'
'Nee, ik blijf hier zitten. Het licht hier is gunstig. Aan welke kant heb ik het mooiste profiel?'
'Eh, moeilijk kiezen.'
'Je hebt gelijk.' Hij wreef over zijn kin. 'Ik zie er aan beide kanten goed uit.'
Ik liet Barrett achter in het gunstige licht en rolschaatste naar Karl. Hij had weer die sombere blik van de avond ervoor in zijn ogen. Dezelfde blik als op de avond dat we met elkaar hadden gezoend. Om Karls hand niet spontaan vast te pakken, greep ik me aan de rand van de bar vast. En natuurlijk omdat het verstandig is je ergens goed aan vast te houden als je met rolschaatsen aan en knikkende knieën op een deinende boot staat.
'Voel je je al iets beter dan gisteren?' vroeg ik.

‘Beter is te veel gezegd.’ Hij liet zijn vinger over de rand van zijn glas glijden. ‘Het gaat erom hoe jíj je voelt. Jij hoort niet elke dag dat je een prinses bent.’
Die vraag had Barrett al de hele ochtend niet gesteld, hoewel ze waren gekomen om Floressa en Gina te helpen met het omgaan met de pers. ‘Dat is inderdaad niet zomaar iets.’
‘Dat kan ik me voorstellen. Hoewel, eigenlijk ook niet. Het lijkt... alsof de wereld die je altijd hebt gekend ineens verdwenen is.’
Hoe diepzinnig. ‘Klopt. Maar daar hebben ze het al de hele ochtend over, en vanmiddag zal het niet anders zijn. Dus ik praat liever even over iets anders.’
‘Duidelijk.’
‘Over jou bijvoorbeeld.’
‘Zo’n boeiend onderwerp ben ik op het moment niet.’
‘Juist wel. Je hebt twee bewonderaars. Een liefdestriangel.’ Of hoe zeg je dat, dacht ik bij mezelf. Een soort... driehoeksverhouding ‘Heb je het daarom uitgemaakt met je vriendin?’
Karl draaide zich naar me toe om mijn gezicht te kunnen zien. ‘Zo. Jij komt meteen ter zake.’
‘Het is een publiek geheim.’
‘Tja...’ Hij wreef in zijn wenkbrauw. ‘Ik ben een gemene ploert, maar... de roddelbladen hebben gelijk. Het is uit met Olivia. Vanwege Elsa.’
‘Dat maakt je nog niet tot een... ploert.’ Ik zweeg even. Wie gebruikte nu zo’n woord? Karl gedroeg zich veel formeler dan ik me herinnerde. ‘Je hebt me gisteravond zelf de raad gegeven mijn hart te volgen.’
‘Klopt.’ Karl streek met zijn duim over zijn kaak. ‘Maar nu

Elsa weet wat ik voor haar voel, komt er een andere kant in mij naar boven. Dat ken ik niet van mezelf. Het is spannend, maar ook beangstigend.'
'O.' Hetzelfde voelde ik ook ongeveer. Voor Karl. Je gaf om iemand die je nooit zou krijgen, of iemand met wie je niet móчht omgaan, en dat zorgde voor deze... deze pijn. Ik keek door het openstaande raam naar de toegestroomde menigte en besefte dat mijn tijd met Karl – als ik het tenminste 'mijn tijd met Karl' mocht noemen – bijna om was. Maar ik wilde per se weten of de klik die ik tijdens die bewuste brunch met hem had gevoeld en die me maar niet losliet, ook echt was voorgevallen. Want dan kon ik me daaraan vastklampen. Dan kon ik doen wat me te doen stond.
Dan kon ik het loslaten.
Maar ik kon niet zeggen wie ik was en hoe alles in zijn werk was gegaan. Het was beter als ik eerst een hint gaf. Een verwijzing naar het gesprek dat we als Karl en Elsa hadden gevoerd. We hadden allebei bekend fan te zijn van de film *Casablanca*, uit de jaren veertig. Allesbehalve een film waaruit regelmatig werd geciteerd door tieners, als het al voorkwam. Een makkelijk begin.
'Dus "*Of all the gin joints in all the towns in all world, she had to walk into yours*".'
'Sorry?'
'Dat is een filmcitaat... uit *Casablanca*. Je weet wel, "*Here's looking at you, kid*"?'
'Die heb ik niet gezien.' Karl nam een slok van zijn druivensap. 'Ik heb niks met film.'
'Echt niet? Weet je het zeker?' Ik probeerde mijn stem luchtig te laten klinken. 'Humphrey Bogart?'

'Is dat een acteur? Of een sportman?'
Het was net uit met zijn vriendin. Hij was er met zijn hoofd niet bij... Hij was het vergeten. Per slot van rekening citeerde hij de laatste keer dat ik hem sprak (als Elsa) moeiteloos uit *Casablanca*.
Tenzij hij het had gedaan om indruk op Elsa te maken. Of loog hij nu? Ook dat was mogelijk. Zo goed kende ik hem niet. De afgelopen twee dagen was hij stil en somber geweest. Begrijpelijk, maar waar was de grappige jongen gebleven die ik in de tuin had leren kennen? Gedroeg hij zich alleen zo als hij bij Elsa was?
Gina kwam de sky lounge binnen, met een gezicht dat al in mediastand stond. 'We moeten gaan, Flossie.'
'Moet ik je helpen met de trap?' vroeg Karl, ineens weer een en al hoffelijkheid. 'Ik wil niet dat je voor de neus van de pers onderuitgaat.'
Ik gaf hem een arm en moest me bedwingen niet te veel tegen hem aan te leunen. Karl was een goeierd. En hij was eerlijk. Ik voelde iets voor hem. Ook al gedroeg hij zich nu anders dan toen, die ene dag samen was bijzonder geweest en kon door niets worden uitgewist. Of, zoals Humphrey Bogart in zijn beroemde laatste zin tegen Ingrid Bergman zei: '*We'll always have Paris.*' (Nou ja, Metzahg dan. Maar wat maakte het uit?)
Barrett haalde ons boven aan de trap in. Hij knikte naar Karl en pakte me zonder een woord bij de hand. 'Goed idee, broertje,' zei Barrett. 'Wij kunnen de aandacht op de kade wel afleiden. Als wij doen alsof we ruzie hebben, kunnen de dames snel de limo in duiken. We zorgen gewoon dat wij de camera's op ons gericht krijgen, zodat Gina en Floressa zich makkelijker uit de voeten kunnen maken in die menigte.'

Ik kon me niet voorstellen dat ik door die haag van belangstellenden zou komen. Omringd door bodyguards liepen/rolschaatsten we de loopplank af. Eenmaal op de kade kuste Barrett me op mijn wang. 'Succes. Ga je me missen?'
Ik keek langs hem heen naar Karl, die grimaste in de talloze flitslichten.
'Ja. Ja, natuurlijk.'
'Zo mag ik het horen. Oké, let op.' Barrett knipoogde naar me en gaf Karl toen een flinke duw. Hoewel Karl wist dat het gespeeld was, werd hij zo door de duw verrast, dat hij tegen de grond smakte. En zoals Barrett had voorspeld, zwenkten de camera's af en konden Gina en ik de wachtende limo in glippen en langs de menigte wegrijden. Een paar fotografen baanden zich een weg naar hun auto's, maar al snel hadden we de belangstellenden – en de vechtende prinsen – achter ons gelaten.
In de limo gaven de pr-mensen ons de laatste aanwijzingen. *Royal News Today* had het nieuws die ochtend gebracht en inmiddels werd het wereldwijd op televisie uitgezonden en werd erover gespeculeerd. Ons interview met Brenda Waters zou die avond live worden uitgezonden; hoe eerder hoe beter als het op schadebeperking aankwam.
Gina had een groot huis op een heuvel geregeld voor het interview, waar we konden verblijven totdat we een manier hadden gevonden om het eiland te verlaten. Het huis was niet alleen gekozen vanwege de mooie ligging, maar ook vanwege de uitgebreide beveiliging, inclusief elektrische omheining.
Het pand was al vergeven van de crews: de cameracrew, make-upcrew, lichtcrew, mannen-in-pakken-met-telefoons-crew en natuurlijk de crew van Brenda Waters. Tel

daar nog Gina's crew bij op en je hebt heel wat crewleden rondlopen.
Het balkon keek uit op groene heuvels en de oceaan. Ik vergat even het gekkenhuis om me heen en leunde over de balustrade om van het uitzicht te genieten. Zoiets moois had ik nog nooit gezien, zelfs niet als stand-in.
'Blijf even zo staan.' Gina's persoonlijke fotograaf nam een foto van me. 'Perfect. Bedachtzaam en weemoedig. Die foto gebruiken we voor gedrukte interviews.'
Waarom moest elk moment, en dan speciaal dit persoonlijke moment, worden vastgelegd om te bewijzen dat Floressa menselijk was? Kon ze niet gewoon mens zíjn? Al die belangstellenden die daarbuiten als aasgieren op haar wachtten, zouden zelf verwachten, nee éísen, dat ze met rust werden gelaten als hun wereld op die manier op zijn kop zou staan. In plaats daarvan genoten ze van elke seconde. Misselijkmakend.
De balkondeur werd opengeschoven. 'Flossie?' Gina nam me in haar armen. 'Ze zijn zover.'
'Ik weet niet of ík al zover ben.'
Ze kuste me op mijn voorhoofd. 'Ik ben bij je. Je hoeft niets te zeggen. Sterker nog, hoe minder je zegt, hoe verdrietiger je zult lijken, en dan zullen de kijkers denken...'
Ik liep langs Gina heen de kamer in waar het interview zou worden gehouden. Ik betwijfelde of Floressa zich op dit moment zorgen zou maken om haar imago; ze was zo ontdaan dat ze nog liever alles zou opgeven dan deze marteling te moeten ondergaan. De make-upcrew snelde toe voor een finishing touch van brushen, borstelen en sprayen. Ik wuifde ze weg en ging tegenover Brenda Waters op de bank zitten.

Ze boog zich naar me toe en gaf me een klopje op mijn hand. 'Fijn dat je me dit interview toestaat.'
'Ik had weinig keus.'
'Ik zal ervoor zorgen dat het goed gaat.'
'En ik zal op een gegeven moment in huilen uitbarsten, want dat is blijkbaar wat de mensen willen.'
Brenda knikte, zich niet bewust van mijn sarcasme. Gina kwam naast me op de bank zitten en gaf me een kneepje in mijn knie. Het licht werd zo afgesteld dat het recht in mijn ogen scheen. Iemand bevestigde een microfoontje aan mijn jurk en mijn make-up werd nóg een keer bijgewerkt. Toen telde een cameraman af tot nul en wees op Brenda. Er ging een rood lampje branden: we waren live. Live in heel de Verenigde Staten. Nee, in heel de wereld.
'Ik ben Brenda Waters van *PulsePoint News*, rechtstreeks vanuit Tharma. Bij mij zitten Gina en Floressa Chase, van wie het recente familieschandaal wereldwijd is uitgelekt. Laten we eerst even naar de beelden kijken.'
Een televisie bij de autocue toonde de beelden die de paparazzo had geschoten. Gina en de koning waren er vaag op te zien, maar het geluid was goed te verstaan. Gina kromp ineen toen de koning wegstormde, maar dwong zichzelf tot een flauwe glimlach toen de camera weer op haar werd gericht.
'Het doet pijn dat terug te zien, Brenda.'
'Maar nog meer pijn om het méé te maken.'
Ik wist dat je de interviewer moest aankijken. Maar het rode lampje boven de camera leidde mijn aandacht af. Achter die lens keken miljoenen kijkers naar dit zeer... vertrouwelijke moment. Ze zouden er geen getuige van horen te zijn. Zelfs ík zou er geen getuige van horen te zijn. Floressa zou dit

zien en spijt hebben dat het niet háár reacties en authentieke emoties waren die op het scherm te zien waren.
Brenda ging op meelevende toon verder. 'Het moet erg moeilijk zijn om zo'n privétragedie op televisie te zien worden uitgezonden.'
'Het is een hele beproeving,' zei Gina.
Ik wilde erop wijzen dat Bréndа de beelden ook had uitgezonden, maar wist dat ik er niets mee zou bereiken.
'Het waait wel weer over.' Brenda boog zich voorover en gaf Gina een klopje op haar hand. Gina depte haar ogen droog.
Ik liet me dieper wegzakken in de bank.
Wat kwam me dit bekend voor. Dit soort verhalen – koninklijke schandalen – werd uitentreuren herhaald in de roddelbladen. Ze waren de belangrijkste reden dat dergelijke bladen bestonden. En ik had de roddels altijd gelezen, met een ziekelijk soort nieuwsgierigheid. Ik had zelfs oude interviews en krantenartikels gevonden over mijn favoriete filmhelden, waarin hun geheimen lang nadat ze waren overleden werden geopenbaard. Maar nu ik zelf in de holle cameralens keek, huiverde ik, omdat ik eindelijk begreep hoe het voelde om doorlopend in de schijnwerpers te staan.
'Hebben de gebeurtenissen van afgelopen dagen jullie dichter bij elkaar gebracht?' vroeg Brenda.
Ik kon er niets aan doen. Ik snoof.
Gina sloeg haar arm om me heen. 'Ik denk het niet, maar ik hoop wel dat het nog zal gebeuren. Ik heb het niet goed aangepakt. Dit is allemaal nieuw voor Floressa, net zo goed als het nieuw is voor de koning. Ik wilde haar beschermen, maar heb haar verdriet gedaan. Ik hoop dat dit land en de toeschouwers me zullen vergeven en Floressa zullen steunen in deze moeilijke tijd.'

‘Wat een opoffering moet deze bekentenis voor u zijn,’ zei Brenda.
Een traan rolde over Gina’s wang. Ik kon niet zien of het gespeeld was, maar de cameracrew slikte het voor zoete koek.
‘Floressa!’ zei Brenda opgewekt, om aan te geven dat dit het positieve gedeelte van het interview werd. ‘Hoe is het om te ontdekken dat de droom van ieder meisje – om een prinses te zijn – is uitgekomen?’
‘Welke droom bedoel je, Brenda? Want dit voelt meer als een nachtmerrie.’
‘Oké.’ Brenda kromp ineen. ‘Wat ik bedoel te zeggen is dat je niet alleen de dochter van een beroemde en succesvolle actrice bent maar... een prinses!’
Ze sprak het woord prinses uit alsof het opwíndend was. Alsof deze onthulling voor Floressa een sprookje met een happy end was.
Ik wendde mijn ogen af van de camera en keek eerst naar Brenda, toen naar Gina en ten slotte naar de mensen achter de camera. De publiciteitsagent wees naar mijn mond, om duidelijk te maken dat ik moest glimlachen. De cameraman zoomde in en hoopte dat ik ‘authentieke’ emoties zou laten zien zodat de kijkers met me zouden meeleven.
Mééleven.
Ja. Dat was het. Terwijl de hele wereld naar me keek, begreep ik eindelijk dat mijn emotie, mijn magische emotie, medeleven was. En hoewel er aan de buitenkant niets magisch gebeurde (kon ik maar zo veel magische tranen huilen dat Brenda Waters de kamer uit zou drijven), begon mijn hele lijf te tintelen.
Toen mijn zenuwen en emoties en gedachten bijna explodeerden, voelde ik me écht magisch.

Boem.
Alle tintelingen, thuis of als stand-in, werden met elkaar verbonden.
Boem.
Ik begreep waar het getintel vandaan kwam.
Boem.
Mijn magie werd opgeroepen wanneer ik me zo intens in een ander verplaatste dat ik bijna hun gedachten kon lezen, nee, hun hárt. Als ik dat deed, werd ik me bewust van hun wensen. Mijn medeleven diende als emotioneel, magisch kompas. En ik wist – WIST – heel zeker dat Floressa verder wilde met haar moeder en een band wilde opbouwen met haar vader, maar dan wel búíten de schijnwerpers.
Dit interview moest worden afgebroken.
Opnieuw stond ik voor een beslissing die me mijn baantje kon kosten. In gedachten zag ik Meredith al met zwaaiende vinger voor me staan, maar de mogelijke gevolgen waren minder belangrijk dan dit gevoel. Ik moest handelen in het belang van Floressa.
Ik stond op. 'Ik kan dit nu niet doen.'
Brenda, Gina... De hele tv-crew keek me geschokt aan. Ik maakte gebruik van hun vertraagde reactie om de kamer uit te rolschaatsen en via de voordeur en de lange, kronkelende oprijlaan het dichte bos achter het huis te bereiken.
Toen ik bij een zandpad kwam, gooide ik mijn rolschaatsen uit en rende ik zo ver het bos in dat ik niet meteen gezien zou worden. Ik knielde neer naast een knoestige boom en haalde mijn handcomputer uit mijn tas. Ik dacht even aan Meredith. Ze zou niet blij zijn als ze merkte dat ik contact met Geneviève had opgenomen. Daar moest ik dan later maar een smoes op verzinnen... Ik wilde Floressa per se helpen.

'Geneviève! Geneviève! Ik wil Geneviève graag spreken!'
Haar assistent, Dominick, verscheen op mijn schermpje.
'Dominick, ik heb hulp nodig.'
Dominick antwoordde: 'Geneviève is op dit moment niet beschikbaar. Ze is zich aan het voorbereiden op haar verjaardagsfeest. Als je een bericht wilt achterlaten...'
'Onmogelijk! Ik zit hier met een gigantisch koninklijk schandaal, krijg mijn agent niet te pakken en heb een televisieploeg achter me aan. En... magie! Ik weet precies hoe mijn magie werkt!'
'...spreek dan na de pieptoon je boodschap in.' Dominick glimlachte, en ik besefte dat het een opgenomen bericht was en dat hij niets had gehoord van wat ik had gezegd.
'Piep,' voegde hij eraan toe.
Ik hing op. Er zat ongetwijfeld een applicatie op mijn handcomputer die me verder kon helpen. Ik scrolde door totdat ik op een foto van een zeepbel stuitte. Een noodzeepbel.

Doorgaans sturen agenten een noodzeepbel wanneer de stand-in zich snel moet terugtrekken. Onder zeldzame omstandigheden zal de stand-in zich echter zelf uit een situatie moeten terugtrekken. In dat geval kan de stand-in een noodzeepbel oproepen om haar naar de agency of een volgende bestemming te vervoeren, waar ze hulp kan krijgen. Van deze mogelijkheid dient geen lichtvaardig gebruik te worden gemaakt, aangezien noodzeepbellen moeilijk te besturen zijn en, hoewel de Wet van de Verdubbeling kan worden toegepast, kunnen er problemen met de timing ontstaan die betrekking hebben op de afwezigheid van de prinses. Als de stand-in echter van mening is dat de situatie dringend is, kan een noodzeepbel worden opgeroepen door *HIER* te klikken.

Toen ik op HIER klikte, verscheen er een formulier met daarin de vraag waarom ik de noodzeepbel nodig had, hoe lang ik hem nodig dacht te hebben, wat mijn verzekeringsgegevens waren, welk besturingssysteem mijn voorkeur had...
Ik hoorde iemand Floressa's naam roepen. Ik las de informatie snel door en had het verzoek nog niet verstuurd of ik hoorde gepruttel in de boomschors. Uit de bast sijpelde sap waaruit een belletje kwam dat uitgroeide tot een zwarte orb. Anders dan bij de zeepbel van Meredith, kon ik niet door de wand naar binnen stappen. Ik trok een krakend luik open en dook snel naar binnen. Net op tijd. De stemmen klonken dichtbij toen ik het luik sloot. Ik was veilig, onzichtbaar door mijn magisch potentieel.
De zeepbel zat vol met knoppen en hendeltjes, als in een eenmotorig vliegtuig. Misschien was het dat ook wel – niet dat ik ooit in zo'n vliegtuig had gezeten. Wat ik wel wist, was dat ik geen flauw idee had hoe ik het ding moest besturen. Ik drukte op een paar knoppen, maar er gebeurde niets.
Ik zocht in een paar laden naar een handleiding. Hand. Leiding. Duh. Ik pakte mijn handcomputer en klikte door de FAQ totdat ik op het onderdeel 'Het bedienen van een noodzeepbel' stuitte.
Het antwoord telde zo'n honderd bladzijden. Het was een handboek waar ik weken voor zou moeten uittrekken. Terwijl ik maar een paar minuten had.
Ik liet mijn hoofd op het dashboard zakken. Ik zat gevangen. Gevangen in het leven van een ander. Ik zou nooit in *Een mid-*

zomernachtsdroom spelen. Ik zou zelfs nooit veertien worden. Of mijn vrienden en familie terugzien, of rondlopen in mijn pyjama zonder bang te zijn te worden gefotografeerd door paparazzi.
Ik verdrong mijn ellendige gedachten, veegde boos mijn tranen weg en concentreerde me op Floressa's problemen. In sprookjes werden problemen altijd ópgelost zodra je een prinses werd, niet gecreëerd. Wat zou er nu met Floressa gebeuren?
'Dit is niet eerlijk!' Verblind door tranen gaf ik een klap op het dashboard. 'Stijg op, stom ding!' schreeuwde ik. 'WAAROM STIJG JE NIET OP?'
De zeepbel steeg deinend op. 'Hij beweegt,' fluisterde ik voor me uit. 'HIJ BEWEEGT!' Ik sprong op en maakte een vreugdedansje dat er onnozel moest uitzien, dus ik hoopte maar dat er nergens verborgen camera's hingen. Ik eindigde met een pirouette en ging toen in de pilotenstoel zitten. Het stuur leek op dat van een vliegtuig; ik drukte het naar beneden. De zeepbel steeg op. Hij vloog! Het was me gelukt.
Nu hoefde ik alleen nog maar... te gaan. 'Eh, de Bermudadriehoek? Het Façade-vakantieoord.'
De zeepbel schudde, alsof hij instemmend knikte, steeg nog hoger op en vloog toen vooruit. Mijn verdriet zakte, maar ik was nog steeds een beetje bibberig van het huilen. Zodra de zeepbel stabiel vloog, scrolde ik naar de laatste bladzijde van de instructies, voor het geval de zeepbel behekst was en me naar het binnenste van de aarde vervoerde. Ik las de laatste regel.

> Uiteraard heeft de ervaren stand-in altijd nog Die Magische Optie. Roep je magisch potentieel op en

de automatische piloot neemt het van je over en brengt je naar je bestemming. Maar weinigen beschikken over deze vaardigheid, maar als het je lukt... leun achterover en geniet van de reis!

Die Magische Optie. Daar had ik gebruik van gemaakt. Ik had magie gebruikt om iets te doen dat verder ging dan op een prinses lijken. De zeepbel was opgestegen zodra ik mijn gedachten op Floressa richtte en me in haar verplaatste. Medeleven. Mijn magie werkte als ik me inzette voor een ander.
Ik leunde achterover in mijn stoel. Dit was de eerste keer dat ik, hoe vaag ook, iets las over vaardigheden van stand-ins om magie op te roepen buiten het gebruik van Royal Rouge om. Had ik rouge én mijn magische emotie nodig om magie op te roepen? Of had ik daar geen rouge voor nodig? Per slot van rekening had ik hetzelfde gevoel ervaren toen ik Celeste had geholpen. Als dat zo was, had Geneviève tegen me gelogen. Maar goed ook dat ze mijn oproep niet had beantwoord.
Ik begreep alleen nog niet waaróm Façade dergelijke informatie achterhield voor stand-ins en geheimzinnig deed over magie. Daar piekerde ik over gedurende de lange zeepbeltocht – geen 'warp'-snelheid met deze rammelkast. Na een klein halfuur voelde ik turbulentie en gaf de radar aan dat we de Bermudadriehoek binnen vlogen. Toen de zeepbel aan de landing begon, hield ik me vast aan mijn stoel. Zou de automatische piloot alleen het vliegen voor zijn rekening nemen of ook de landing?
Dat deed hij. En zo soepel. De zeepbel stuiterde, slipte een paar keer en crashte bijna voordat hij tot stilstand kwam. Ik

draaide mijn nek uit de knoop. Ook iets om op te zoeken in mijn handcomputer: een arbeidsongeschiktheidsverzekering. Het luik reageerde niet na de eerste paar keer duwen, maar schoot uiteindelijk met veel gekraak open.
We waren inderdaad geland. Op het mooiste strand dat ik ooit had gezien. Een strand dat ik al eerder op veel kleinere schaal had gezien. Om precies te zijn, op een maquette.

21

Tijdens de landing raakte mijn rouge uitgewerkt en veranderde ik terug in mezelf. Ik had mijn Titania-kostuum weer aan. Na mijn vermoeiende huilbui zou ik het liefst op het strand gaan liggen om van het tropische uitzicht te genieten, maar ik wist dat de tijd in de war kon zijn als ik als stand-in in de buurt van mijn klant was. Snel liep ik een kronkelig zandpad op, dat door een dicht palmbomenbos naar het resort voerde.

De maquette deed geen recht aan de werkelijkheid. Niet dat het resort zo enorm groot was; de afmetingen kwamen in de buurt van de Holiday Inn Express die we in Sproutville hadden. Maar omdat dit een plek was waar royals ongezien vakantie konden vieren, sloeg de luxemeter ver uit.

Het design van de stijlvolle, comfortabele foyer, geïnspireerd op het eilandthema, ging naadloos over in de natuurlijke schoonheid van het landschap. Hoewel het hotel zeker honderden royals kon herbergen, was er niemand te bekennen. Zelfs de receptiebalie was verlaten. Ik luidde het met kristallen bezette belletje, waarop een man zijn hoofd om de hoek van een deur stak. Hij glimlachte en wauw... hij had iets van een jonge Tom Hanks.

'Kan ik je misschien helpen?' Hij kwam uit het kantoortje en liep naar de balie. Ik was met stomheid geslagen, want het

was meer dan een gelijkenis. Het wás Tom Hanks. Maar dan wel de Tom Hanks uit het begin van zijn carrière. Of... was het zijn zoon? Maar waarom zou zijn zoon op het Façaderesort werken? Waarschijnlijk werd de jongen er doodmoe van altijd maar weer op de gelijkenis te worden gewezen. Ik besloot te doen alsof ik het niet zag en er niets van te zeggen.
'Eh, ja. Ik ben op zoek naar een gast.'
'De namen van onze gasten blijven geheim. Privacybeleid.'
Ik leunde op de balie en liet mijn stem zakken. 'Mag ik vragen hoe je heet?'
'Tom.'
'Natuurlijk. Tom, ik ben hier op een uiterst geheime Niveau-2-missie. Ik zou je er wel meer over willen vertellen, maar dan zou ik eerst toestemming moeten vragen. Ik ben hier met een noodzeepbel en zit in tijdnood. Kun je me alsjeblieft vertellen waar Floressa is? Ik moet nodig haar leven redden.'
Tom keek de lege lobby rond. 'Ben je een stand-in?'
'Ja.'
'Dat zal ik eerst moeten controleren. Ik pak even je dossier erbij om je een paar vragen te stellen.'
Tom tikte wat in op een toetsenbord en keek toen weer naar me op. 'Naam?'
'Desi Bascomb.'
'Leeftijd? Geboortedatum?'
'Dertien. Volgende maand word ik veertien. 13 november.'
'Wat is je grootste angst, Desi?'
Ik knipperde met mijn ogen. 'Dat staat toch niet in mijn dossier?'
'Je zou toch verwachten dat een Niveau 2-stand-in beseft dat Façade álles weet.'
'Oké. Eh... onzichtbaar zijn. En grote honden.'

Tom stelde nog een paar persoonlijke vragen. Ik gaf geen krimp. Floressa mocht me dankbaar zijn. Er kon straks hoop ik wel een jachtje vanaf.
Tom streek zijn haar uit zijn gezicht en keek me aan met de jongensachtige glimlach die hem beroemd had gemaakt. En met beroemd bedoel ik wéreldberoemd.
'Ik mag je het nummer van haar kamer niet geven, maar mag wel zeggen dat ze bij het zwembad zit.'
'Dank je.' Ik pakte een pepermuntje uit de schaal op de balie. 'Ik ga haar meteen zoeken.'
'Desi?'
Ik draaide me om. 'Huh?'
Hij wees naar een deur links van de balie. 'Vergeet je niet op te maken voordat je naar het zwembad gaat. Je zou eigenlijk niet eens zonder make-up mogen rondlopen.' Ik keek neer op mijn feeënkostuum. Ik kon wel andere kleren gebruiken, maar make-up? Ik had al een dikke pancake op voor de uitvoering. Trouwens, wie maakte zich druk om make-úp als beide Floressa's hier waren, wat betekende dat er níémand bij die knoestige boom op het eiland zou worden aangetroffen.
Ik duwde de deur open en verslikte me bijna in mijn pepermuntje. De kamer was een miniversie van de make-up-uitstalling in de Glamour Studio, verdeeld over twee afdelingen: de gewone make-up, en een veel grotere afdeling met de Old Hollywood-lijn. Behalve een hoek gevuld met oude actrices, zag ik ook nieuwe namen, zoals Meryl Streep-foundationpoeder en Sandra Bullock-rouge. Sommige schappen – Marilyn Monroe, Doris Day, Grace Kelly – waren leeg... waarschijnlijk populaire make-up. Ik pakte een Julie Andrews-lippenstift (klaproosrood) en stiftte

mijn lippen. Ik zag nergens spiegels. Vreemd. Maar ja, wat was hier níét vreemd?
Ik haalde mijn poederdoos uit mijn tasje. Het spiegeltje in het deksel was vuil; ik veegde het af met de mouw van mijn kostuum. Toen ik erin keek, slaakte ik een gil.
In het spiegeltje zag ik niet Desi Bascomb, en zelfs niet Floressa Chase. Ik was veranderd in Julie Andrews. Julie Andrews zoals ze eruitzag in *Mary Poppins*, compleet met knotje, hoed en grijs mantelpak.
Tom stak zijn hoofd om de hoek van de deur. 'O, goed zo. Je bent getransformeerd. Mooie paraplu trouwens.'
Naast mij stond inderdaad een paraplu. Als ik hem zou openklappen, kon ik misschien wel wegvliegen. Toen ik weer naar Tom keek, viel het kwartje. 'Als je deze make-up...' Ik zweeg even. Ik sprak ineens met een keurig Engels accent. 'Als je deze make-up gebruikt, verander je in de persoon waarvan de naam op het potje staat. Ook qua stem.'
'Dat is wel de bedoeling. Maar het gaat ook wel eens fout. Ik had een keer voor Halloween wat Jim Cagney-make-up opgedaan. Je weet wel, de originele Phantom of the Opera in die stomme film. Maar ik werd dus Jim Carrey uit de film *The Mask*. Enfin. Mooi kostuum.'
Voor een agency dat prat ging op privacy, lagen deze metamorfosen voor de hand. Er vierden hier talloze royals tegelijk vakantie. Om te voorkomen dat bekend werd welke royals gebruikmaakten van stand-ins, zorgde de agency ervoor dat de royals het uiterlijk van een andere beroemdheid kregen. Het feit dat ze eruitzagen als sterren maakte het voor hen waarschijnlijk extra leuk, en door te doen alsof ze iemand anders waren, konden ze tijdelijk ontsnappen aan hun gouden kooi. Veel beroemdheden waren immers al gewend een

valse naam te gebruiken wanneer ze incheckten in een hotel. Maar Façade ging verder. Veel verder.
Het had iets onwerkelijks. Er kon zoveel met magie en dan stak Façade haar energie hierin. En terwijl royals hun verkleedspelletjes deden, werden sommige stand-ins van hun magie beroofd omdat ze niet 'voldeden'. Dat was niet eerlijk. Zodra ik Floressa's puinhoop had opgeruimd, moest ik nodig eens met Meredith praten.
Ik gebaarde naar de lege schappen. 'Die zijn allemaal in gebruik?'
'We vullen de voorraad aan zodra de gasten zich hebben uitgecheckt. De dames reageren nogal gepikeerd als iemand met dezelfde look komt.'
Mijn ogen gleden naar het Marilyn Monroe-schap. Sprekend Floressa. 'Bedankt. Ik denk dat ik wel weet naar wie ik moet zoeken.'
Tom deed een stap opzij zodat ik langs hem heen de kamer uit kon. 'Eh, Mary?'
Ik liep door.
'Mary Poppins... eh, Julie Andrews.'
'Ja?'
'Je vergeet je paraplu.' Met een scheef lachje reikte hij me de paraplu aan. Ik nam hem aan en liep rechtstreeks naar het zwembad. Ik zweette in mijn wollen mantelpak. Waarom had ik ook niet iemand anders uitgezocht? Annette Funicello, bijvoorbeeld, de ster in de strandfilms uit de jaren zestig. Dan had ik hier in een badpak gelopen.
Floressa, alias Marilyn, lag bij het zwembad te zonnen in haar beroemde witte badpak. Ik sleepte een ligstoel naar haar toe en plofte erop neer. Ze schoof haar zonnebril omlaag en glimlachte.

'Ben ik soms stout geweest dat ik een kindermeisje nodig heb?' vroeg ze met Marilyns lieve, hoge stemmetje.
Ik zette mijn paraplu opzij en leunde voorover in mijn stoel. 'Ik heb inderdaad het gevoel dat ik je kindermeisje ben, Floressa.'
'Hé, ik ben incognito, hoor. Je hoort helemaal niet te weten wie ik ben.'
'Ik ben je stand-in. En ik ben gekomen om je mee naar huis te nemen.'
Floressa drukte zich op een elleboog omhoog. 'Als jij mijn stand-in bent, wie doet zich dan nu als mij voor?'
'Je slaat de spijker op zijn kop.'
'Dan doe jij je werk dus niet goed.'
'Het is niet de bedoeling dat ik je voor altíjd vervang.'
'Wat klaag je nou? De meeste meisjes zouden het heerlijk vinden om mij te kunnen zijn.'
Het was snikheet in de zon. Ik deed mijn jasje uit en maakte mijn knotje los. 'Dat is zo. Je leidt een fantastisch leven, Floressa. Een leven waarnaar je terug moet keren en dat je zelf moet leven.'
Floressa zette haar zonnebril af en keek me strak aan. 'En waar moet ik dan precies naar terugkeren? Naar een vader die me niet wil? Hij heeft me diep gekwetst.'
'Ik weet dat het moeilijk is. Maar je moeder dan? Ze houdt van je.'
Ze haalde haar schouders op. 'Als ze van me hield, had ze me over mijn vader verteld.'
'Dat heeft ze gedaan. Alleen te laat. Ze heeft die hele bootreis voor jou gepland. En nu zit ze in de problemen omdat het nieuws is uitgelekt. Ze heeft veel op het spel gezet voor jou. Jij bent niet de enige die zich gekwetst voelt. Besef wel

dat je vader het nieuws nog maar een dag heeft kunnen verwerken. Voor hetzelfde geld draait hij bij.'

'Dus...' Ze tikte met haar vinger op haar volle lippen. 'Jij denkt dat hij me als zijn dochter accepteert als ik terugga? Dat ik een prinses word?'

'Je bént een prinses. Het zit in je bloed. Dat is ook de reden dat je een stand-in kon regelen bij Façade.'

'Hmm... ik heb altijd al een prinses willen zijn. Ik dacht dat ik daarvoor met Barrett zou moeten trouwen.'

'Over Barrett gesproken. Hij wacht op je, met zijn broer Karl.'

'Wat kan mij die Karl schelen. Die is doodsaai.'

'Niet waar!'

'O, vind je hem soms leuk?' Floressa zette haar zonnebril weer op. 'Ik wist dat hij iets met Olivia had. Ik kan jullie wel koppelen. Eh... ben je mooi onder die vermomming?'

Koppelen. Hoe ouderwets. 'Best wel, dank je.'

'Ik weet het niet, hoor. Ze hebben hier heerlijke kwarktaart.'

'Oké, dan blijf je maar hier,' zei ik. 'Geniet van je kwarktaart, dan ga ik terug naar Barrett.'

'Hè?'

'Ik kan hem natuurlijk niet eeuwig op afstand houden. Straks denkt hij nog dat je hem niet leuk meer vindt, dus ik zal met hem moeten zoenen. Alleen om de schijn op te houden natuurlijk.'

Floressa keek me vol bewondering aan. 'Je bent toch wel goed.'

'Dank je.'

'Oké. Ik zal teruggaan. Maar dat moet ik eerst overleggen met degene die dit voor mij heeft geregeld. Miranda.'

'Meredith?' vroeg ik terwijl ik om me heen keek. Was Me-

redith híér? Reageerde ze daarom niet op mijn sms'jes? Mary Poppins had duidelijk nog een appeltje met iemand te schillen.
'Ja. Maar ze is hier wel als iemand anders. Er zijn op dit moment niet zo veel gasten in het hotel, dus je zou eens bij de bar kunnen gaan kijken.'
De bar was te ver van ons verwijderd om de twee gasten die er zaten te herkennen. Ik stond op. 'Ontspan jij je nog maar even, dan ga ik onze terugreis regelen.'
'Prima. Hé, je staat in mijn zon!'
Ik opende mijn paraplu zodat ik wat schaduw zou hebben. Jammer dat ik er niet mee kon vliegen. Dat was nog eens een manier om je entree te maken.
Toen ik dichterbij kwam en zag wie het was, moest ik glimlachen. Grace Kelly lachte uitbundig om iets wat Frank Sinatra, haar tegenspeler in Merediths favoriete klassieke film *High Society*, in haar oor fluisterde.
Frank Sinatra was de ideale man? O, ze was een open boek. Ik sloot mijn paraplu en ging op een kruk naast hen zitten. 'Mag ik een aardbeiensap alstublieft?' zei ik tegen de ober. 'En zou u er één schepje suiker in willen doen?'
Grace en Frank gingen zo in elkaar op dat ze me niet eens opmerkten. Ik boog me naar hen toe en zei: 'Goedemorgen, Meredith.'
Meredith draaide zich met een ruk om en staarde me met Grace Kellys ijsblauwe ogen aan. 'Wie ben jij?'
'Mary Poppins. Leuk je te ontmoeten.' Hé, dit was grappig. Meredith perste haar lippen op elkaar. 'Lilith?'
'Denk je nou echt dat Lilith voor Mary Poppins zou kiezen?'
'Desi.' Meredith haalde opgelucht adem. 'Wat doe jij hier?'
De ober zette mijn sap voor me neer en ik nam een slokje.

‘Goeie vraag. Waarom beantwoord je hem zelf niet?’
‘Ik heb je toch gezegd... dat ik iets anders te doen had.’
‘Tja. En dat ik alleen in geval van nood contact met je mocht opnemen. Dat heb ik pas drie keer gedaan.’
‘Was er een noodgeval dan?’
‘O, gewoon een klassiek geval van Prinses Besluit Nooit Meer Terug Te Keren.’
‘En jij bent hier...’
‘Met een noodzeepbel. Om haar terug naar huis te brengen.’
‘Wat? DESI.’ Meredith keek geschrokken om zich heen. ‘Dat mag helemaal niet.’
‘En jij mag je stand-ins niet aan hun lot overlaten. Ik neem aan dat Façade daar ook niet blij mee is.’
Meredith legde haar hoofd op de bar. ‘Ik heb de oplader voor mijn handcomputer vergeten.’
‘Uh-huh.’
‘En de verbinding is hier heel slecht.’
‘Tuurlijk.’
‘Dat is de reden dat ik nooit op vakantie ga.’
Frank wreef over Merediths rug. ‘Gaat het, lieverd?’
Ik wist dat Meredith contact had met haar prins, maar niet dat ze in het geheim op vakantie gingen. Het verklaarde haar gedrag van de laatste tijd. Maar het gaf haar ook iets heel menselijks, ook al was ze hier niet als zichzelf. Ik zou haar geheim nooit verklappen. Meredith was een vriendin, ook al kon ze heel bazig en gemeen tegen me doen en dacht ik soms dat ze een hekel aan me had. Maar dit was een situatie die ík naar mijn hand kon zetten en die kans wilde ik niet missen.
Ik boog voor haar langs en stak Frank mijn hand toe. ‘Hoi. Jij moet Merediths prins zijn. Ik ben Desi, haar favoriete stand-in.’

Meredith schoot overeind. 'Hoe weet jij wie hij is?'
'Dat heb je me net verteld.'
Meredith greep me bij de ruches aan mijn blouse. 'Als je dit ooit verder vertelt, kun je je baantje bij Façade wel vergeten. En ík ook. Alsjeblieft, Desi. Dit is de enige manier waarop wij elkaar kunnen ontmoeten.'
'Ik zal het aan niemand vertellen. Maar jíj gaat me nu wel vertellen hoe het precies met die magie zit.'
Merediths ogen schoten vuur. 'Je weet dat ik dat niet mag.'
'Dat kan best. En dat zul je doen ook, in ruil voor mijn geheimhouding.'
'Sommige dingen zijn niet voor niets geheim, Desi. Dat is veiliger voor je.'
'Hoezo? Bang dat ik er iets goeds mee ga doen? Dat zou Façade ook eens moeten doen, in plaats van kapitalen uitgeven aan Marilyn Monroe-kostuums.'
'Kijk uit wat je zegt,' zei Meredith.
'En ik heb ook het een en ander ontdekt over mijn eigen magie.'
'Niet waar.'
'Wel waar.'
'Nietes.'
'Welles.'
'Nietes.' Meredith wreef over haar neusbrug. 'Hou op. Laten we daar nu geen ruzie over maken. Weet je wat? We brengen Floressa terug. En omdat Geneviève vanavond haar verjaardag viert, is iedereen druk in de weer en kan ik jou... het een en ander laten zien. Meer kan ik niet doen.'
'Akkoord.' Ik sprong van mijn kruk. 'Kom ons maar ophalen als je... klaar bent om te gaan.'
Meredith knikte terneergeslagen. Ik zwaaide naar Frank

Sinatra, die me een hoofdknikje gaf. Toen ik halverwege het grasveld was en over mijn schouder keek, zaten ze midden in een innige afscheidszoen die zo uit een film leek te komen. Ik had medelijden met Meredith omdat ze van iemand hield met wie ze niet samen kon zijn. Ik wou dat ik kon zeggen dat ik hetzelfde had met Karl, maar dat was niet zo. Mijn klus als Floressa had me duidelijk gemaakt hoe weinig ik van hem wist. Karl was een geweldige jongen, maar hij was van Elsa. En daar kon ik mee leven. Ik zou nog alleen verliefd worden op iemand die in hetzelfde land woonde als ik en wist dat ik bestónd.
De tortelduifjes maakten zich van elkaar los en Meredith veegde de tranen uit haar ogen. Ik liet hen alleen en liep terug naar Marilyn. Gelukkig kon ik de noodzeepbel straks inruilen voor Merediths luxueuze kantoortje. Dan kon ik eindelijk met de voeten omhoog. Want eerlijk is eerlijk, op die rijglaarsjes van Mary viel niet te lopen.

22

Nadat we Floressa in Tharma hadden afgezet, zette Meredith de tv in de ontvangstkamer aan. In de drie uur nadat ik in de noodzeepbel was verdwenen om Floressa te zoeken, was de situatie behoorlijk uit de hand gelopen. De koning had een zoekactie op touw gezet en alle televisiezenders toonden aan de lopende band beelden van zoekteams die de jungle uitkamden. Op een van de zenders verscheen een hysterische Gina: 'Er waren tientallen mensen op de set. Hoe kon ze zomaar verdwijnen? Het is allemaal mijn schuld!'

Een camera zoomde in op een vage beweging tegen een heuvel en het volgende moment kon de kijker Floressa van een helling zien afdalen. Een lid van het zoekteam liep haar tegemoet en wikkelde haar in een deken. Er klonk gejuich. Brenda Waters holde met een cameraman naar haar toe. 'Floressa! Floressa! Wat voor ontberingen heb je moeten doorstaan in die vreselijke jungle?'

Floressa duwde de camera weg en viel haar moeder huilend in de armen. Het shot werd nog wekenlang op alle zenders herhaald.

Meredith zette de televisie uit. 'De koning heeft haar waarschijnlijk niet verstoten, als hij een zoekactie opzet. Dus er is hoop. Dat gaat je een positief PVR opleveren.'

'Ik heb haar niet geholpen om een positief PVR te krijgen.'

Ik liep met Meredith haar kantoortje in. Het rode lampje op haar telefoon knipperde verwoed en haar bureau lag bezaaid met aantekeningenboekjes en stapels papier. Meredith zuchtte. 'Snap je nu waarom ik liever niet op vakantie ga? Maar het werk zal moeten wachten, want vanavond viert Geneviève haar verjaardag. Je kunt je feeënpakje wel aanhouden. Het is een gekostumeerd bal. En ik...' Meredith pakte een zwart vlindermaskertje.

'Spannend! Dit wordt mijn eerste Façade-bijeenkomst.'

'Niet dus. We gaan niet.' Meredith trok het masker voor haar ogen. 'Het is een vermomming. Je wilde toch meer weten over Façade? Dat zal ik je nu laten zien. Kom mee.'

De foyer was verlaten. 'Iedereen is in de balzaal,' fluisterde Meredith. 'Kom.'

We liepen door talloze hallen en gangen, totdat we bij een donker gangetje kwamen. De koninklijke allure had gaandeweg plaatsgemaakt voor kale stenen muren met slechts hier en daar een wandkleed. Uiteindelijk kwamen we bij een witte deur. Meredith haalde een kettinkje uit haar blouse waaraan een antieke koperen sleutel hing. Ze stak de sleutel in het slot en opende de deur. 'Als we betrapt worden, staan we allebei op straat. Begrepen?'

Ik legde mijn vinger op mijn lippen en knikte.

We gingen een witte kamer binnen die zo groot was als een cafetaria. Zeg maar gerust een licht-aan-het-einde-van-de-tunnel-witte kamer. Op de glanzende vloer stonden een paar lege laptoptafeltjes. Verder was er niemand te bekennen.

'Worden hier de stand-ins... gehersenspoeld?' vroeg ik.

'Nee. Kijk.' Meredith tikte twee keer tegen de wand, die meteen opzij rolde en uitzicht bood op rijen ingebouwde schappen met honderden veelkleurige potten, pulserend als lavalampen. In het midden van de regenboog stond een kaptafel, zo een als mijn grootmoeder vroeger had. En net als bij mijn grootmoeder stond hij vol met kristallen parfumflesjes, antieke bronzen haarborstels en... rouge. Meredith pakte de zilveren poederdoos op en wreef over de kever op het dekseltje. Dezelfde kever als op Genevièves kaartje.

'Dit heet een scarabee. Het Egyptische symbool voor vernieuwing.'

'Is het een antiverouderingspoeder?' vroeg ik. Ik wist dat het dat niet was, maar ik zou het graag willen.

'Nee. Als je dit op je gezicht doet, is je magie...'

'Poef, weg!'

Meredith en ik draaiden ons geschrokken om naar Lilith, die met een brede grijns tegen een tafeltje leunde. Ze droeg een paarse jurk met pofmouwen en een gesmokt lijfje, compleet met een topzware middeleeuwse hoofdtooi. 'Je zult je redenen wel hebben om Desi deze kamer te laten zien?'

'Uiteraard, Lilith.'

'En die redenen zijn...'

'Dat ga ik jou niet aan je neus hangen.'

'Niveau 2's komen hier normaal gesproken niet.' Lilith streek een lavendelpaarse krul uit haar gezicht. 'Tenzij ze gehersenspoeld moeten worden.'

Ik zette grote ogen op. 'Mer, je gaat me toch niet...'

'Natuurlijk niet. En ik had je gezegd me geen "Mer" meer te noemen.' Ze wendde zich weer tot Lilith. 'Jij weet net zo goed als ik dat Desi geen gewone Niveau 2 is. Geneviève heeft haar haar kaartje gegeven.'

'Je meent 't.' Lilith probeerde haar verbazing vergeefs te verbergen achter een grijns. 'Nou, dat mag je dan mooi aan Geneviève uitleggen. Ik ga dit namelijk meteen melden.'

Meredith sloeg haar ogen ten hemel. 'Klikspaan.'
'Probeer je me soms weer aan jouw kant te krijgen? Dan kan ik je verklappen dat dat je niet zal lukken.'
'Ik kijk wel uit. Ik word doodmoe van jou. We komen wel terug als we alleen kunnen zijn. Kom, Desi.'
Lilith versperde de deuropening. 'Je begrijpt dat als ik dit doorgeef, ik degene ben die promotie krijgt.'
'O, denk je dat?' Meredith greep Lilith bij haar mouw en gaf er een ruk aan. Toen de stof scheurde, hapten we alle drie naar adem. Lilith deed een uitval naar Merediths masker en het volgende moment vlogen ze elkaar in de haren. Ik wilde tussenbeide komen, maar wilde mijn kostuum heel houden. Ik pakte de poederdoos van de kaptafel en stak hem in de lucht.
'Als jullie niet ophouden, dan... gooi ik dit poeder over jullie heen.'
Meredith en Lilith verstijfden. Meredith schuifelde langzaam naar me toe.
'Je hebt geen idee wat je daarmee kunt...'
'Leg terug,' zei Lilith. 'Alsjeblieft, ik zal er niets van zeggen.'
Ze lieten elkaar los. Ik stond versteld dat ze zich zo... kinderachtig gedroegen. Gescheurde kleren, haren in de war... Lilith had zelfs een kras op haar arm. Mijn superieuren. Als het niet zo ernstig was, zou ik erom lachen.
Natuurlijk wilde ik niets met het poeder doen, maar het gaf me een machtig gevoel. Dus hier hadden ze nep-McKenzie naartoe gebracht. Met deze make-up was ze beroofd van haar magie. Weg veelbelovende toekomst. Wat zou je met al die andere potjes op de kaptafel kunnen doen? En hoe zat het met al die regenboogpotten? Was dat het geheim dat Meredith had willen onthullen? 'Ik leg het doosje alleen weg als jullie het... bijleggen.'

'Sorry.' Meredith fatsoeneerde haar haren. 'Dat was niet netjes. Ik ga voor mijn werk en klanten door het vuur... Ik liet me meeslepen.'
Lilith trok haar andere mouw eraf zodat beide kanten er hetzelfde uitzagen en zette haar hoofdtooi recht. 'Het spijt mij ook.' Een gemene glimlach verspreidde zich over haar gezicht. 'En het spijt me ook dat jullie elk moment ontslagen kunnen worden.'
Ze trok de deur open. Geneviève, verkleed als Cleopatra in een witte jurk met gouden juwelen en een zware hoofdtooi, stond ziedend van woede in de deuropening. Haar anders zo warme bruine ogen schoten vuur. 'Ik voelde dat hier iets aan de hand was.'
'Ik ook.' Lilith wees op ons. 'Ik betrapte Meredith erop dat ze een Niveau 2-stand-in de spoelkamer liet zien.'
'Ik ga ervan uit dat ze daar een goede reden voor heeft.' Genevièves doordringende blik gleed van Lilith naar Meredith.
'Natuurlijk. Maar dat bespreek ik liever niet met Lilith erbij,' zei Meredith.
'Alsjeblieft, zeg,' zei Lilith. 'Het komt nu toch wel uit.'
'Lilith, ga jij maar vast terug naar de festiviteiten beneden. Zeg maar dat ik er zo aankom. Specter is alles al aan het uitruimen.'
'Maar ze...'
'Dank je, Lilith.'
Lilith stampte de kamer uit. Geneviève doorkruiste de witte kamer en gebaarde dat ik haar de poederdoos moest aangeven. Ik deed wat ze vroeg, waarna ze het doosje op een schap zette dat in de wand verdween. 'Daar wil je niet mee in aanraking komen.'
'Dat weet ik. Het berooft je van je magie.'

Meredith deed een stap naar voren. 'Dat heeft ze zelf ontdekt. Ik heb alleen de losse eindjes aan elkaar geknoopt.'
'Dat was riskant, Meredith, vooral als je de roddels over mijn pensioen moet geloven. Je promotie kan erdoor in gevaar komen.'
'U hebt haar uw kaartje gegeven.' Meredith haalde haar schouders op. 'U bent zich kennelijk bewust van haar talent. Ze is de snelste leerling die ik ooit heb gehad. Dus zo groot was het risico niet.'
'Hallo! Ik ben hier!' Ik liep langs hen heen en ging op de witte laptoptafel zitten. 'Kan iemand mij vertellen wat hier aan de hand is?'
Geneviève raakte een wand aan en er verscheen een deurknop. Meredith keek al even verbaasd als ik. Geneviève leidde ons een grandioos kantoor binnen, met brede ramen, die uitkeken over een nachtelijk Parijs, en duizenden kristallen aan het plafond waarin het maanlicht weerkaatste. Ze wees op twee stoelen, of zeg maar gerust trónen, die aan een bureau ter grootte van de staat Michigan stonden. 'Ik laat maar weinig mensen in mijn kantoor. Ik vertrouw erop dat jullie de plek geheimhouden.'
Merediths ogen waren zo groot als poederdozen. 'Ik dacht dat dit kantoor een fabeltje was.'
'We zullen de rondleiding tot een andere keer moeten bewaren.' Geneviève wuifde met haar hand. 'Oké, Desi, ik wil een voorstel doen. Jij mag alles over de kamer hiernaast vragen als ik alles over jouw magie mag weten. En geen leugens.'
'Leugens?' zei ik.
Geneviève keek me met een schuin hoofd aan. Ze kon overal achter komen als ze wilde. Dat wisten we allebei. Ik wilde antwoorden.

‘Afgesproken. Wat zat er in die potten?’
Meredith boog zich in haar troon naar me toe en gaf me een klopje op mijn hand. Ik keek naar haar, maar ze hield haar blik strak op Geneviève gericht.
‘Dat zijn magische voorraadpotten,’ antwoordde Geneviève. ‘Van de stand-ins die worden gehersenspoeld wordt de magie in vloeibare vorm opgeslagen totdat het in andere materialen kan worden omgezet. Die magie levert de energie voor onze zeepbellen, maakt Façade onzichtbaar in dit gebouw, runt onze Commandocentrale... dat soort dingen. Snap je?’
‘Dus Façade werkt op gestolen magie?’
‘“Gestolen” is een zwaar woord.’ Geneviève spreidde haar handen op het bureau. ‘Sommige magie wordt geleend. Gedoneerd. Als je agent wordt, heb je niet meer zo veel magie nodig, dus die gebruiken we inderdaad als energie. Maar je hebt gelijk, een deel komt van stand-ins van wie we hoge verwachtingen hadden.’
‘En dat is niet slecht?’
‘Er is veel kwaad in de wereld. Dictators. Genocide. Haat. Ik heb gezien wat er gebeurt als een magisch persoon zijn krachten gebruikt om anderen kwaad te doen. Dus of ik het hergebruik van magie slecht vind? Nee, daar zie ik geen kwaad in.’
Ik leunde achterover en beet op mijn duimnagel. Oké, ‘slecht’ was misschien wat sterk uitgedrukt. Maar het zou toch niet moeten mogen? Het was toch niet goed?
‘Nogmaals,’ zei Geneviève. ‘Ik vertrouw erop dat hetgeen we hier bespreken geheim blijft.’
‘Je hoort dit normaal gesproken pas als je agent wordt,’ zei Meredith zacht.
Oké. Wie zou ik het moeten vertellen?

Geneviève leunde voorover. 'En nu heb ik een paar vragen voor jou. Heb je sinds ons laatste gesprek tintelende gevoelens gehad of gezoem gehoord?'

'Ja.'

'Waarom heb je mijn kaartje toen niet gebruikt?'

Meredith kuchte.

Ik liet mijn handen over de leuningen van de troon glijden. 'Dat heb ik wel geprobeerd. Op het laatst tenminste. Daarvoor had ik niet in de gaten dat het gebeurde. U had tegen me gezegd dat stand-ins zonder rouge niet in staat zijn tot magie. En dat mijn ervaringen thuis niets te maken hebben met magie. Weet u nog?'

'Het was niet de bedoeling je te misleiden. Je werkt nog maar heel kort voor ons en dit was informatie die je nog niet mocht weten. Maar zoals Meredith al zei heb je een zeer krachtig MP en heb je het een en ander... zelf ontdekt.'

'We hebben geen magisch potentiéél, hè? Het is gewoon magie. Pure magie.'

'Nee, het grootste deel is slechts potentieel. Sommige stand-ins kunnen zonder rouge nooit magie gebruiken. Hun MP is niet krachtig genoeg om een ander persoon te worden. Totdat je je emotionele talent onder de knie hebt, is er geen sprake van pure magie.'

'Ik denk dat ik weet hoe het bij mij werkt.' Ik vertelde haar over de toneelrepetities en de tintelingen tijdens Floressa's interview. 'Toen werd het me duidelijk. Mijn verbindende emotie is...' Ik zweeg even, omdat ik twijfelde of ik wel alles moest zeggen. Ik keek naar Meredith, die bijna onmerkbaar naar me knikte. 'Mijn emotie is medeleven.'

'Ja, dat vermoedde ik al.' Geneviève wreef over haar kin. 'Dat straal je aan alle kanten uit. Dit heb ik in lange tijd niet

meegemaakt. Ik hou je al sinds ons etentje in Dorshire Hall in de gaten en... je bent een heel bijzondere stand-in.'
'Maar waarom dan?' vroeg ik. 'Jullie doen net of ik uitverkoren ben. Wat is er zo bijzonder aan medeleven?'
Meredith schudde haar hoofd. 'Het kostte mij jaren, járen, voordat ik doorhad welke emotie bij mij de magie opriep.'
'En dat is?' vroeg ik.
'Vriendelijkheid,' zei Meredith.
'Vriendelijkheid?'
'Twijfel je daar soms aan?'
Misschien was het een speciaal talent dat alleen bij volle maan naar boven kwam. Bij volle maan in een schrikkeljaar.
'Nee, eh, alleen... oké. Vriendelijkheid.'
'Geintje.' Meredith kreeg een lachbui. 'Alsof ik jou nog meer geheimen ga verklappen.'
Geneviève schraapte haar keel. 'Medeleven geeft je een natuurlijke uitstraling. Jij kunt je meer dan anderen inleven in de behoeften van je klanten. Jij hebt geen profielen, instructies of achtergrondinformatie nodig. Je kunt je laten leiden door je intuïtie. We zagen dat tijdens je werk op Niveau 1 en nu ook weer bij Floressa. Medeleven is een eigenschap die perfect bij je werk past. En dit talent maakt jou tot de ideale kandidaat voor een Match met een eliteprinses. In zo'n geval kun je haar langetermijnstand-in worden. De grootste eer voor een stand-in.' Geneviève liep om haar bureau naar me toe en pakte mijn hand vast. 'Desi, wat zou je denken van Niveau 3?'
Ik slikte. 'Ik wist niet eens dat er een Niveau 3 bestond.'
'Jazeker. Je zou de eerste tiener zijn die dat haalt. Op dat niveau kun je een Match sluiten en als assistent hulp verlenen aan agenten. Enfin, je kunt er meer over te weten komen

zodra je je promotie accepteert. En omdat Meredith je zo goed heeft begeleid, zal ik haar een zetel in de raad geven.'
'In de raad?' fluisterde Meredith. Haar ogen kregen een ongelovig starende blik, alsof ze bankbiljetten uit de lucht zag vallen.
Ik nestelde me in de fluwelen stoel. Geneviève had haar eigen Muur Met Geweldige Dingen, alleen hingen op haar muur zo ongeveer alle royals van de wereld, compleet met bijschriften over hun titels en connecties. Ik zou een Match krijgen met een van die prinsessen en dagelijks na het wakker worden in haar hemelbed koninklijk worden behandeld. Ik kon de wereld over reizen, vriendin worden met Elsa, aan goede doelen geven... De hele kamer zinderde van de kansen.
Maar hoe zat het met die andere kamer, de kamer die we zojuist hadden verlaten? De kamer waarin nep-McKenzie van haar magie was beroofd. Dat was fout. Welke redenen Geneviève er ook voor had gegeven, het voelde niet goed dat Façade mensen van magie beroofde omdat ze het op een andere manier gebruikten dan Façade wilde. Om nog maar te zwijgen van de leugen dat stand-ins áltijd rouge én Façade nodig hadden om iets magisch tot stand te brengen. Terwijl we in werkelijkheid onze eigen magie konden gebruiken zodra we wisten hoe we het konden oproepen. We hadden Façade niet nodig; Façade had ons nodig. Macht moest in evenwicht zijn, maar wie controleerde de macht van Façade?
Mijn promotie weigeren was niet verstandig. Ik wist waartoe Façade en Geneviève in staat waren. Als ze wilde, kon Geneviève me in de andere kamer van mijn magie beroven en het opslaan in een potje nieuwe nagellakkleur. Daarvoor

hoefde ze alleen maar wat rouge uit de poederdoos op mijn gezicht te smeren en mijn vermogen anderen te helpen – prinsessen of niet – zou als sneeuw voor de zon verdwijnen. Had ik mijn promotie echt verdiend, of was het een vorm van chantage? De enige manier om daar achter te komen, was voor Façade te blijven werken.
Genevièves telefoon ging. 'Ja? Dat meen je niet. Hoe durven ze.' Ze mimede naar ons: 'Specter'.
Meredith sloeg haar ogen ten hemel.
'Nee, ik ben bijna klaar,' zei Geneviève. 'Wacht op mij voor de taarteetwedstrijd.'
Ze hing op. 'Ik hou van gezonde competitie. Ik moet terug naar het feest. Denken jullie er eerst maar eens rustig over na en laat het me dan zo snel mogelijk weten. Er staat inderdaad een reorganisatie voor de deur, maar het gerucht dat ik met pensioen zou gaan klopt dus níét. Deze dame heeft nog wat troeven achter de hand.' Ze werkte ons snel de deur uit. In de spoelkamer stond Merediths zeepbel al klaar. 'Ik had de zeepbel alvast voor jullie opgeroepen. Leuk dat we even konden praten, Desi. Ik begrijp dat je nu het een en ander te verwerken hebt, maar we zijn wereldwijd een gerespecteerd maar kwetsbaar instituut. Je kunt veel goed werk voor ons doen. Ik vertrouw erop dat je de juiste beslissing zult nemen.'
Ik wist niet of ik een keus had, maar ik zwaaide Geneviève gedag en stapte in de zeepbel.
Meredith liet zich op haar bank ploffen. 'De raad. De RAAD!'
'Ik ben heel blij voor je, Mer.'
'Dat "Mer" zie ik voor deze keer door de vingers.' Ze wipte op en neer op de kussens. 'Mer. Mer. Wat maakt het ook uit. Wat zal Lilith op haar neus kijken. Na al die jaren... De RAAD!'

‘Ik, eh... laat je alleen om het te vieren.’
Ik sloot de deur naar Merediths kantoor. Ik had niet alleen het nodige gewetensonderzoek te doen, er stond ook een toneelstuk te beginnen zodra ik thuiskwam. Als ik te veel nadacht – over de kamer, mijn promotie, medeleven – zou er geen ruimte meer in mijn hoofd zijn voor mijn tekst. Ik ging in kleermakerszit op de grond zitten en deed een paar meditatieoefeningen die ik van Gina had geleerd. Mevrouw Olman moest eens weten.
Tien minuten later kwam Meredith het kantoortje binnen gezeild en rommelde wat in haar bureaula. ‘Ik ben benieuwd hoe hij hier op reageert. Ik had nooit gedacht dat ik nog eens raadslid zou worden. Ik kan daar straks WETTEN veranderen.’
Ik opende een oog. ‘Bedoel je je prins?’
Ze stond achter haar bureau en las fronsend iets op het schermpje van haar handcomputer. Het volgende moment zag ik Meredith in elkaar zakken. Mijn zakelijke, altijd praktische agente was flauwgevallen.
Ik raapte haar handcomputer van de vloer. Het bericht op het schermpje bestond uit slechts drie woorden. Waarschijnlijk de enige drie woorden die meer indruk op haar konden maken dan haar promotie tot raadslid.

TROUW MET ME

Ik moest beslissen of ik bij een agency wilde blijven die ik niet helemaal vertrouwde. Maar Merediths beslissing zou wel eens heel wat heldhaftiger kunnen zijn dan de mijne.

23

Zodra ik Meredith weer bij haar positieven had, vloog ze me in recordtijd naar huis. Zwijgend. We spraken met geen woord over onze promoties of het sms'je. Ze was overstuur. Ik leidde haar voorzichtig naar de bank en bracht haar een glaasje water. Toen we geland waren, zei Meredith simpelweg: 'We hebben het er nog over wat dit te betekenen heeft. Tot gauw. Doei-doei en succes!'

Iemand succes wensen voor een uitvoering brengt ongeluk, dus ik liep voorzichtig naar de kleedkamer. Ik voelde een flinke hoofdpijn komen opzetten. Façade zou met al die producten die ze fabriceerden ook wel eens magische pillen kunnen draaien voor hun stand-ins.

In de overvolle kleedkamer baande ik me een weg naar de spiegel om te controleren of ik er minder geschokt uitzag dan ik me voelde.

'Des! Eindelijk.' Kylee greep me bij de arm. 'Ik ben even stiekem achter de schermen geglipt. Wat zie je er mooi uit!'

Ik liet mijn handen over de kraaltjes op mijn jurk glijden. Een heel verschil met mijn degelijke Mary Poppins-jurk. 'Vind je?'

'Echt wel. Hoewel, wacht...' Kylee rommelde in haar tas en haalde er een paars plastic poederdoosje uit. Ha, hoe simpel was het leven toch als make-up niet méér was dan...

make-up. 'Even die glans op je gezicht wegwerken. En misschien moet je ook wat rouge op je wangen doen. Je ziet een beetje pips.'
Mevrouw Olman riep vanuit de coulissen: 'Acteurs! Nog een kwartier!'
'Je moeder houdt een stoel voor me vrij. Heb jij het shirt gemaakt dat ze aan heeft?'
'Nee, hoezo?'
'Er staat TEAM DESI op. Je vader en Gracie hebben er ook een aan.'
Ik had het gevoel alsof er warme stroop over me werd uitgegoten. Mijn familie bestond. Echt. Hier, in Idaho. Ik was nog nooit zo blij geweest dat mijn leven zo normáál was.
'En kom eens hier,' zei Kylee. 'Ik wou je ook nog even een succesknuffel geven.'
Een echte vriendin geeft je precies wat je nodig hebt, ook al heeft ze geen idee waarom je het zo hard nodig hebt. Ik omhelsde Kylee en kneep mijn ogen stijf dicht. Tranen drupten op haar schouder. Ten slotte maakte Kylee zich los en keek me verbaasd aan.
'Gaat het?'
Ik veegde een traan weg. 'Ja. Alleen... het was een lange dag. En een belangrijke dag natuurlijk.'
'Hier. Je mascara is een beetje uitgelopen.' Kylee veegde over mijn wangen. 'Ik weet dat het doodeng is, maar dit wordt jouw dag. Geniet ervan, oké?'
Ik knikte. 'Ik wou dat ik Reeds ezelkop op kon. Dan kon ik zoveel huilen als ik wilde.'
'Ik kwam hem net nog tegen.'
'O ja? Heb je hem gesproken?'
'Ach, weet je,' Kylee blies haar pony uit haar ogen, 'ik denk

dat ik het opgeef. Ik word steeds zo akelig als ik hem zie. Straks moet ik nog aan de maagtabletten als we gaan daten.'
'Maar jullie passen zo leuk bij elkaar.'
'O ja? Ik weet het niet, hoor.'
Er klonk een bel.
'Maar waar hebben we het over? Jij moet aan je warming-up beginnen, of wat jullie ook doen voordat je het podium op gaat.'
'Kylee... bedankt.'
Ze gaf me nog een snelle knuffel. 'Zet 'm op, TEAM DESI.'
Titania kwam niet voor in het eerste bedrijf, maar ik kon vanuit de coulissen toekijken. Het maffe verhaal boeide me zo dat ik mijn zorgen vergat. Het mooie van een stuk zoals *Een midzomernachtsdroom* is dat het zo'n droomachtige sfeer heeft. Zelfs de woorden klinken alsof ze uit een andere wereld komen, als een lied waarvan je de tekst niet kent maar het ritme begrijpt.
Het publiek applaudisseerde na mijn eerste scène met de koning. Ik verdween achter de coulissen en gebruikte de daaropvolgende tien minuten tot aan de volgende scène om mijn tekst een laatste keer door te kijken. Toen het tweede bedrijf begon, glipte ik het donkere toneel op en deed ik alsof ik sliep van het magische liefdesdrankje, totdat ezel Reed verscheen om me te wekken. Ik hield mijn ogen dicht, zonder ze al te hard dicht te knijpen, en probeerde zo stil mogelijk te blijven liggen.
Reeds diepe stem zong een dwaas liedje...
'De merel is zo zwart van rok,
Zijn snavel bruin en geel,
Het toneel trilde bij elke stap van de lompe ezel. Het publiek lachte, snakkend naar een komisch intermezzo.

De wijfjesvink met haar getjok,
De mees met haar gekweel'
Het geluid van Reeds stem activeerde het liefdesdrankje. Ik knipperde mijn ogen open. '*Welke engel wekt mij van mijn bloemenbed?*'
Reed zong door. Ik keek hem met samengeknepen ogen aan en kon wel door de grond zakken. Hij had zijn ezelskop niet op. In plaats daarvan had hij een bruin geschminkt gezicht en een paar losse oren op zijn hoofd. Toen het lied uit was, keek hij me met een grijns aan.
Toen schoot het me weer te binnen. Reed was de ezelskop kwijt. Ik was zo met mijn gedachten bij mijn Façade-klus geweest dat ik dat was vergeten. En ik moest hem zóénen aan het einde van de scène. Zonder ezelskop tussen ons in. Dat hadden we niet eens gerepeteerd! Ik had nog nooit op het toneel gezoend. De laatste keer dat ik lipcontact met een jongen had gehad was... bij de waterbak, toen Reed me mond-op-mondbeademing had gegeven. Maar toen was ik niet eens bij bewustzijn.
Ik zei mijn tekst op. Celeste en de andere feeën fladderden het podium op en dansten op mijn bewonderende bevelen vleiend om Voller heen. Het publiek reageerde enthousiast; Reed wist het leuk te brengen, een beetje overacting was hem niet vreemd.
Ik struikelde over de eerste paar woorden. Reed greep mijn handen vast en gaf me een bemoedigend kneepje terwijl hij me vol ezelliefde bleef aankijken.
Ik streek met mijn hand langs zijn gezicht. Met de ezelskop op zou het effect veel grappiger zijn geweest. Nu voelde het bijna... teder. Hij hield zijn hoofd een beetje scheef, zoals tijdens de repetities. Tot zover hadden we alles gerepeteerd.

Reed zingt, ik ben verliefd, het publiek lacht, de feeën dansen en... kussen.
We hadden het al zo vaak gedaan, maar dit was anders. Iedereen keek naar ons terwijl Reed me indringend aankeek. Zijn donkere ogen. Zijn afwachtende lippen.
Ik streelde zijn wang en boog me naar hem toe.
We zoenden.
En de grond béefde.
Of was ik het zelf? Of hij? Wij samen? Geen idee. Ik weet niet wat er gebeurde. Dc kus duurde maar een paar seconden, maar het voelde alsof ik een salto had gemaakt en een klap in mijn gezicht had gekregen met een... regenboog. Of zoiets. Ik weet alleen dat mijn emoties en magie meer werden dan een tinteling. De energie spoot uit mijn tenen, vingers... lippen. Alsof alle magische momenten bij elkaar werden opgeteld... en meer.
Het was... het was...
Alsof ik Karl kuste. Ik voelde vlinders in mijn buik. Een zwérm vlinders!
Het toneel werd donker. We holden het podium af en Reed pakte me bij de hand.
'Wauw. Herinner me eraan dat ik vaker een deel van mijn kostuum moet kwijtraken.'
Ik draaide me om. 'Ik moet even mijn make-up checken.'
'Wacht.' Reed wreef me achter in mijn nek. 'Ik weet niet hoe ik het moet zeggen maar... maar voelde jij ook iets? Het leek wel...' Zijn stem stierf weg.
Magisch, wilde ik zeggen. Maar dat zei ik natuurlijk niet. Dat was onmogelijk. Niet alleen omdat Kylee een oogje op hem had, maar ook omdat ik de heftige gevoelens in mijn binnenste nooit zou kunnen omschrijven. Of had ik me zo sterk

in Titania ingeleefd dat ik haar liefdesbetovering voelde? Nee. Het leek bijna alsof de kracht van mijn magie was vermenigvuldigd. Verdubbeld. Ach, wat een onzin. Dit was geen magisch wonder, dit was een podiumkus in een schooltoneelstuk. Het stelde niets voor.
Dat kon niet anders.
'Je kunt geweldig acteren, Reed. Maar nu moet ik weg.'
Ik draaide me om en holde naar de kleedkamer. De andere meiden stonden met elkaar te kletsen en elkaars haren te doen. Iemand had met lippenstift DE HELE WERELD EEN PODIUM! op een van de kaptafelspiegels geschreven. Ik veegde het eraf totdat mijn gezicht zichtbaar werd. Alles kwam weer op zijn pootjes terecht. Mijn systeem was gewoon even op tilt geslagen. Dat krijg je als je nooit zonder ezelskop hebt gerepeteerd.
Ik luisterde naar het geruststellende gebabbel van mijn medespelers. Er zat maar één scène tussen het vorige en volgende bedrijf waarin ik met Reed speelde. Nadat hij mijn leven had gered, had ik het moeilijk gevonden om met hem te praten, maar nu durfde ik hem nauwelijks nog onder ogen te komen. Misschien was het beter wanneer ik als eerste iets tegen hem zei, om de spanning te breken. Om daarna te doen alsof we elkaar niet de heerlijkste zoen van de wereld hadden gegeven.
Zonder dat de technici en acteurs het zagen, sloop ik naar de coulissen. Toen ik zag dat Reed er nog niet was, baande ik me een weg naar de jongenskleedkamer. Op de deur hing een briefje: VERBODEN TOEGANG. HIER WORDEN GEEN POETSEN GEBAKKEN.
Ik klopte op de deur. Toen er niet werd gereageerd, liet ik mezelf binnen.

'Hallo?'
Reed zat in de hoek van de kamer in een klapstoel. Hij zat voorovergebogen te typen en keek niet op toen ik binnenkwam. Ik deed een stap naar hem toe. Het ding in zijn hand leek op een mobiele telefoon. Met een schermpje en een paar toetsen. Heel hi-tech. Ik zou het voor een duur elektronisch speeltje hebben aangezien als ik het niet eerder had gezien.
Ik wist dat het geen technologisch maar technomágisch apparaat was.
Reed keek op en verborg zijn handcomputer achter zijn rug.
'Hè? Wat is er?'
Ik deinsde achteruit. Reed had een handcomputer. Dat betekende... dat betekende dat hij een stand-in was. Wacht eens even, een STAND-IN? Dat leek onmogelijk, maar kon bijna niet anders. Waarom zou hij anders dezelfde handcomputer hebben als ik?
Specter. De geheime-dienstafdeling. ALLEMAAL JONGENS. Prinsen, koningen, misschien een paar hertogen... mannelijke royaltystand-ins. En tussen de meiden van Façade – Glimmer, zoals Meredith onze afdeling had genoemd – en de jongens van Specter bestond een natuurlijke rivaliteit. Reed had onbedoeld een paar hints gegeven. Hij had veel gereisd. Hij had veel 'acteerervaring'. En hij nam mensen altijd aandachtig op, net zoals ik tijdens een klus. Wedden dat die keer toen Kylee op de rolschaatsbaan viel en hij op de vlucht sloeg, zijn handcomputer was afgegaan?
Lieve hemel. HIJ HAD DEZELFDE HANDCOMPUTER ALS IK. Mijn hoofd tolde. Daarom voelde ons contact zo magisch. Het wás magisch... een dubbele dosis magie. Toen ik weer op de gang stond, sloot ik de deur achter me en leunde er

met mijn handen op mijn knieën tegenaan om niet over te hoeven geven. Voorzichtig opende Reed de deur. Ik maakte aanstalten weg te hollen, maar bleef staan toen ik hem mijn naam hoorde zeggen.
'Desi. Sorry, ik stuurde alleen maar even... een sms'je naar mijn moeder.'
Hij dacht dat het een goede smoes was, en onder andere omstandigheden, met een niet-magisch persoon, zou ik erin getrapt zijn. Hij wist niet dat ik ook iets met Façade te maken had. Dat kon ook niet anders. Als ik hem niet zelf zijn handcomputer had zien gebruiken, had ik het ook nooit geloofd.
'Ik ben blij dat je naar me toe bent gekomen.' Hij liet zijn stem zakken. 'We moeten praten over... luister, Desi, die kus...'
'Mag ik je telefoon eens zien?' Façade had de regel dat je nooit over Façade mocht praten. Maar als ik nu eens niet uit mezelf iets zei? Wat als Reed er, eh, per ongeluk achterkwam?
'Nee, dat is een heel dure van mijn vader. Hij wil niet dat anderen hem gebruiken. Sorry.'
'Dat snap ik. Ik heb dezelfde.'
Reed grinnikte. 'Dat betwijfel ik.'
'Nee, kijk maar.' Ik haalde de mijne tevoorschijn. 'Hij heeft een goeie ontvangst, hè?'
Ik had veel meegemaakt de afgelopen uren, maar de uitdrukking op Reeds gezicht sloeg alles. De arme ziel keek alsof hij zijn ezelskop had ingeslikt. Mijn shock ging over in duizeligheid. 'Maar, hoe kom jij aan... hoe... ben jij een...'
'Ik heb geen flauw idee waar je het over hebt,' zei ik.

'Reed, Desi!' De assistent-regisseur keek ons verwijtend aan. 'Schiet op. Jullie moeten zo weer op!'
We stonden naast elkaar in de coulissen. Reeds mond hing nog steeds open.
'Het is eigenlijk heel logisch,' mijmerde ik hardop. 'Als je twee mensen met je-weet-wel bij elkaar zet, móéten de vonken er wel vanaf vliegen.'
Reed moest het toneel op. Hij richtte zijn vinger op mij en zei: 'Vanavond. We moeten praten.'
'Ja.'
'Want dit is te gek voor woorden.'
'Zeg dat wel.'
'Oké. Nou,' hij trok even aan mijn haar, 'succes dan maar.'
'Dat brengt ongeluk.'
'Oké. Wat dacht je dan van...' Hij keek me met samengeknepen ogen aan. '*Here's looking at you, kid.*'
De glimlach smolt van mijn gezicht. 'Wat zei je?'
'Het is een citaat. Uit een film.' Hij haalde zijn schouders op en stormde met een 'ia-ia' het podium op.
Het was een citaat. Uit *Casablanca*. Het citaat dat Kárl tegen me had gezegd toen ik Elsa was. Hetzelfde citaat dat Karl niet had herkend toen ik het als Floressa tegen hem had gezegd.
Maar dat zei... niets. Zo veel mensen kenden het citaat. Het feit dat Reed het zei, en Reed een stand-in was, wilde nog niet zeggen dat híj... dat hij...
'Je moet op,' fluisterde de regisseur.
Ik wankelde het toneel op. Het licht was fel. Het theater zat bomvol. Reed keek me met een scheef glimlachje aan. Toen wist ik het zeker.
Mijn verliefdheid op Karl was lang niet zo ingewikkeld als

ik dacht, omdat het niet Kárl was met wie ik die bewuste dag door de tuin had gelopen.
Maar hoe zat het met mijn verliefdheid op Reed?
Dát was een heel ander verhaal.

Dankwoord

Een boek schrijven is zwaar. Een tweede boek schrijven is zo mogelijk nog zwaarder. Moeilijker ook. Om niet te zeggen gekmakend. Mijn geestelijke gezondheid dank ik dan ook aan de hieronder genoemde personen. Iedereen bedankt dat ik met jullie hulp Desi's wilde avonturen kon vervolgen...

Allereerst gaat mijn dank weer uit naar mijn geweldige agent Sarah Davies. Je inzicht, kalmte en steun zijn ongeevenaard in deze branche.

Ook redacteuren verdienen het om met hun naam op het omslag komen te staan. Ik dank Emily Schultz, die als eerste in Desi geloofde en me heeft geholpen mijn ideeën voor dit boek en de serie te ontwikkelen. Catherine Onder, die in één woord FANTASTISCH is. Bedankt voor je scherpe blik, slimme vragen en zorg dat ik rustig en geconcentreerd bleef toen de tijd begon te dringen. En Rachel Boden, voor het promoten van mijn boek aan de andere kant van de Atlantische Oceaan.

Hallie Patterson, Dina Sherman, Mollyanne M. Thomas, Nellie Kurtzman en Ann Dye, BEDANKT voor jullie publiciteit in zowel binnen- als buitenland. En verder natuurlijk de rest van het personeel van Disney-Hyperion: Sara Liebling Marybeth Tregarthen, Marci Senders en David Jaffe, Mark

Amundsen en Drew Richardson. Jullie zijn een geweldig team en ik ben blij met jullie te kunnen samenwerken.

Ik zou niet hebben kunnen schrijven als ik geen oppas voor mijn kinderen had gehad (en als mijn kinderen en familie om te beginnen niet zo geweldig waren – bedankt voor jullie aanmoedigingen!). Ik bedank Carol Taylor, Jan Leavitt, Rachel en Spencer Orr, Claire en Liz Watson, Kaycie en Ravyn Brown, en vooral Curry, alias Echtgenoot van de Eeuw.

Mijn dank gaat ook uit naar proeflezer Caroline Thuet, die me heeft geholpen om mezelf te kunnen verplaatsen in een tienermeisje. Naar Ali Frederick, voor haar uitgebreide kennis van het reilen en zeilen van missverkiezingen. De vele scholen en winkels die ik tijdens het schrijven van dit boek heb bezocht; overal leerde ik iets nieuws over het boek of over mezelf. En mijn schrijversvrienden! Zonder jullie tips zou ik allang zijn afgehaakt.

Tot slot mijn lezers. Jullie zijn geweldig. Jullie e-mails, berichtjes, links, brieven, foto's, tweets... Ik koester alle reacties. Bedankt dat jullie meeleven met deze serie. Jullie zijn uiteindelijk degenen voor wie ik schrijf.